OBSESSOR

A você, que vai entrar agora nesta linda e reveladora psicografia, desejo muita luz, paz, amor e felicidade. Que as linhas por mim escritas lhe ajudem em sua jornada evolutiva.

São meus sinceros votos,

pelo Espírito **LUCAS**

OBSESSOR

OSMAR BARBOSA

O autor cedeu os direitos autorais deste livro à
Fraternidade Espírita Amor e Caridade.
www.fraternidadeespirita.org

pelo Espírito LUCAS

OBSESSOR

Book Espírita Editora
1ª Edição
| Rio de Janeiro | 2020 |

OSMAR BARBOSA

BOOK ESPÍRITA EDITORA

Capa
Marco Mancen

Projeto Gráfico e Diagramação
Marco Mancen Design

Imagens
Depositphotos / Pixabay

Revisão
Carlos Antônio Arnt

Marketing e Comercial
Michelle Santos

Pedidos de Livros e Contato Editorial
comercial@bookespirita.com.br

Copyright © 2020 by
BOOK ESPÍRITA EDITORA
Região Oceânica, Niterói,
Rio de Janeiro.

1ª edição
Prefixo Editorial: 92620
Impresso no Brasil

Dados Internacionais de Catalogação na Publicação (CIP)
(Câmara Brasileira do Livro, SP, Brasil)

Lucas

   Obsessor / Espírito Lucas; [psicografado] Osmar Barbosa.
-- 1. ed. -- Niterói, RJ : Osmar Barbosa, 2020.

   ISBN 978-65-991053-8-8

   1. Ficção espírita I. Barbosa, Osmar. II. Título.

20-47558   CDD-133.9

Índices para catálogo sistemático:

1. Ficção espírita : Espiritismo 133.9

Aline Graziele Benitez - Bibliotecária - CRB-1/3129

Todos os direitos reservados e protegidos pela Lei 9.610, de 19/02/1998. Nenhuma parte deste livro pode ser reproduzida ou transmitida por quaisquer formas ou meios eletrônicos ou mecânicos, incluindo fotocópia, gravação, digitação, entre outros, sem permissão expressa, por escrito, dos editores.

Outros livros psicografados por Osmar Barbosa

Cinco Dias no Umbral

Gitano - As Vidas do Cigano Rodrigo

O Guardião da Luz

Orai & Vigiai

Colônia Espiritual Amor e Caridade

Ondas da Vida

Antes que a Morte nos Separe

Além do Ser - A História de um Suicida

A Batalha dos Iluminados

Joana D'Arc - O Amor Venceu

Eu Sou Exu

500 Almas

Cinco Dias no Umbral - O Resgate

Entre nossas Vidas

O Amanhã nos Pertence

O Lado Azul da Vida

Mãe, Voltei!

Depois...

O Lado Oculto da Vida

*Entrevista com Espíritos - Os Bastidores
do Centro Espírita*

Colônia Espiritual Amor e Caridade - Dias de Luz

O Médico de Deus

Amigo Fiel

Impuros - A Legião de Exus

Vinde à Mim

Autismo - A escolha de Nicolas

Umbanda para Iniciantes

Parafraseando Chico Xavier

Cinco Dias no Umbral - O Perdão

Acordei no Umbral

A Rosa do Cairo

Deixe-me Nascer

Conheça um pouco mais de Osmar Barbosa:
www.osmarbarbosa.com.br

Agradecimento

Agradeço primeiramente a Deus por ter me concedido esse dom, esse verdadeiro privilégio de servir humildemente como um mero instrumento dos planos superiores.

Agradeço a Jesus Cristo, espírito modelo, por guiar, conduzir e inspirar meus passos nessa desafiadora jornada terrena.

Agradeço ao Lucas e demais espíritos pela oportunidade e por permitir que essas humildes palavras, registradas neste livro, ajudem às pessoas a refletirem sobre suas atitudes, evoluindo.

Agradeço ainda à minha família pela cumplicidade, compreensão e dedicação. Sem vocês ao meu lado, dando-me todo tipo de suporte, nada disso seria possível.

E agradeço a você, leitor, que comprou este livro e que, com sua colaboração, nos ajudará a conseguir levar a Doutrina Espírita e todos os seus benefícios e ensinamentos para mais e mais pessoas.

Obrigado.

A todos, os meus mais sinceros agradecimentos.

Osmar Barbosa

> Os meios de se combater a obsessão variam, de acordo com o caráter que ela reveste.
>
> *Lucas*

Prefácio

Médiuns são meios de comunicação dos espíritos. Nenhum médium está livre de sofrer uma séria obsessão, pelo contrário, por estarem interagindo a todo tempo com os diversos planos da criação, tornam-se presas fáceis desses espíritos.

Há de haver mudança profunda no exercício da mediunidade, pois aquele que não se modifica, fica à mercê desses viajores do mal. Deve o médium dirigir um apelo fervoroso ao seu anjo bom, assim como aos bons espíritos que lhe são simpáticos, pedindo-lhes que o assistam. O exercício mediúnico é plano de risco para aqueles que não estão preparados para o serviço caridoso da mediunidade.

Quanto ao Espírito obsessor, por mau que seja, deve-se tratá-lo com severidade, mas com benevolência e vencê-lo pelos bons processos, orando por ele. Amparando-o e direcionando-o ao evangelho redentor.

Se for realmente perverso, a princípio zombará desses meios; porém, moralizado com perseverança, acabará por emendar-se. É uma conversão a empreender, tarefa muitas vezes penosa, ingrata e mesmo desagradável, mas cujo mérito está na dificuldade que ofereça e que, se bem desempenhada, dá sempre a satisfação de se ter cumprido um dever de caridade e, quase sempre, a de reconduzir ao bom caminho uma alma perdida.

Esses e tantos outros ensinamentos ouvimos todos os dias dentro da religião espírita. Mas e a prática, como anda?

Não é algo tão simples a se compreender.

Obsessores estão por toda parte, fazem parte do nosso cotidiano. Devemos tratá-los com o devido cuidado, pois desconhecemos os motivos pelos quais somos atacados por esses espíritos. Respeitá-los é dever e cuidado.

Despertá-los não é tão simples... Reconduzi-los ao bem, tarefa árdua...

Evangelizá-lo, acredito em conquistas através do exemplo. Será uma obsessão algo bom?

Muitas vezes me questionei em relação à obsessão. Procurei estudá-la desde que conheci a religião espírita, e a estudo até os dias atuais.

Há muitos motivos para sermos alvo desses espíritos que se encontram em vibração negativa, que querem a todo custo nos destruir, nos derrotar.

Somos eternos devedores...

Se analisarmos a história, veremos que foi através das guerras, da maldade e da falta de limite que chegamos onde estamos.

O livre-arbítrio é instrumento evolutivo, mas muitas vezes nos fazemos valer dele para a prática do mal, para conquistar o que desejamos sem pensar nas consequências, sem avaliarmos os riscos.

Sem limites...

Por sermos livres, praticamos todo tipo de maldade. Por sermos livres, esquecemos dos limites impostos pelo Criador para alcançarmos a evolução. Pensando e agindo assim, nos tornamos escravos de nossas conquistas materiais das coisas fúteis da vida terrena.

Escravos das mazelas da alma...

A maioria das obsessões se dá pela falta de amor no coração, pela ganância, pela falta de piedade e acima de tudo, pela falta de caráter e caridade verdadeira.

Espíritos rudes estão entre nós exatamente para mostrar o que não devemos ser, e, principalmente aquilo que não devemos fazer. E é através das experiências vividas ao lado desses espíritos que devemos depurar o negativo, e nos conectar ao positivo.

Transformar-se sempre...

E a transformação é um cansativo exercício diário do espírito. Lucas esse nobre instrutor que tantos livros nos têm trazido, sempre nos alerta, sobre os pecados da carne, aqueles que levamos para a vida pós vida.

Nada está ao acaso, e nada se perde...

Aquilo que plantamos, certamente iremos colher. Boa árvore, bom fruto.

Não se joga pedra em árvore sem frutos. – já dizia o nobre instrutor.

Nos ensinam os iluminados que a encarnação é um momento em que o espírito tem experiências sem limites. Precisamos nos ajustar, absorver os evangelhos.

São os ajustes necessários à evolução que deixamos de lado sempre que queremos algo, que é maior que nós. A inveja, a avareza, os prazeres da carne e tantas outras coisas que fazemos, sem avaliar os riscos que nos situam nesses ambientes.

Os obsessores nada mais são do que espíritos que em algum momento de nossas múltiplas vidas se desajustaram conosco e querem, a todo custo, um acerto de contas; ou espíritos que se afinam com nossas atitudes e pensamentos, com o modo em que vivemos.

Querem que devolvamos aquilo que tiramos dele em algum momento, seja material ou espiritual, ou sentem prazer no convívio diário ao nosso lado. Se conectam a nós pelo desejo ou pelos desajustes através dos vícios e da falta de comprometimento com a evolução.

Quantas vidas são ceifadas sem motivos óbvios, quanta maldade entre nós, quando apego a coisas fúteis. Quanta ruindade em nosso meio, quantas pessoas praticando o mal sem nenhum motivo aparente? Quantos de nós estamos presos aos vícios, as drogas e tudo mais?

Nesse livro, acompanharemos a trajetória de Virgílio, um Obsessor, que tem uma bela missão espiritual no Umbral.

Qual o limite da obsessão? Por que somos vítimas desses espíritos? Podemos nos livrar dos obsessores transformando nossa vida? Como combater a obsessão? Serão os médiuns responsáveis pelo espírito que vive em obsessão? Quais os tipos de obsessão? Tenho dado motivos para ser obsidiado? Poderá haver uma obsessão para nosso bem?

Onde vivem, os obsessores? Como se sentem onde estão? Há razão para buscarem através da obsessão a vingança? Terá fim esse ciclo vingativo?

Essas e outras respostas você encontrará neste livro. Seja bem-vindo ao livro *"Obsessor"*.

Osmar Barbosa

Sumário

27 | UMBRAL

49 | VIRGÍLIO

67 | RICARDO

81 | A MORTE DE JASMINE

99 | O CELEIRO

115 | O REENCONTRO

127 | JOUBER

139 | A VINGANÇA

151 | A ESCOLHA

163 | A OBSESSÃO

189 | ANA

> O mal é a inexistência do bem.

Lucas

Umbral

Era uma manhã de domingo, o dia despertava com um lindo sol de outono. Lucas me acorda e me convida a me desdobrar e segui-lo para juntos escrevermos mais uma obra.

Todas as minhas psicografias são feitas em desdobramento.

É um tipo de mediunidade, dentre alguns tipos que possuo, e que exerço desde menino.

Me preparei e, ao seu lado, chegamos a um lugar muito comum em minhas psicografias, o Umbral.

Mas aquela região era bem diferente, eu ainda não havia ido àquele lugar.

Era manhã também no umbral. Eu pude perceber que o sol tentava furar as densas nuvens daquele terrível lugar.

Estávamos em uma trilha nos dirigindo ao topo de um monte.

Lucas caminhava calado, e eu permanecia atento a todos os detalhes para relatar nessa mensagem.

Foi então que o nosso diálogo começou:

– Que lugar estranho, Lucas.

– O que é estranho?

– Esse lugar se parece muito com outros lugares que visitei em desdobramento, mas é muito estranho. Vejo que há algumas vilas lá embaixo. Parecem bairros, e vejo aglomerações de espíritos. Parece que há um comício, show, plebiscito, sei lá. Você viu? Há algumas fogueiras acesas e centenas de espíritos escutando um só espírito. Posso ver até um palanque e um homem lá em cima discursando para todos aqueles seguidores.

– Osmar, não se engane: O Umbral é muito semelhante a diversos lugares terrenos. Há líderes, governantes, assembleias de liderança e muito mais. É organizado. E a disputa por territórios é comum, no sombrio Umbral.

É um lugar escuro, como você pode ver. O Umbral é denso, de pouco luminosidade, região em que chove todos os dias. A vegetação e rasteira e sem vida. As árvores são retorcidas e sem folhas. A chuva é companheira inseparável do dia. Todos os dias são assim, sombrios, frios e chuvosos.

– Como nos outros livros, não é Lucas?

– Sim, você tem retratado muito bem o que vê por aqui.

– Olhe Lucas, tem uma pessoa no alto do monte. Lá na frente.

– Estou vendo, e é a história dele que iremos contar.

– Estranho...

– O que é estranho?

– Ele está de roupa preta.

– Roupa preta?

– Sim, ele este todo vestido de preto. E usa uma capa que lhe cobre todo o corpo. Olhe, ela revoa ao vento.

– Ele é um poderoso obsessor, Osmar.

– Meu Deus.

– O que Deus tem a ver com isso?

– É só uma expressão de medo, Lucas.

– Não tema, estou ao seu lado.

– Sim, tenho certeza, nada me acontecerá.

– Fique sossegado.

– Qual é o nome dele Lucas?

– Virgílio.

– Você pode me falar um pouco sobre ele?

– No decorrer dessa história você vai conhecê-lo melhor.

– Certo.

– Venha, Osmar, vamos nos aproximar.

Virgílio estava de pé no alto do monte olhando para as vilas e aglomerações a seus pés. Ele observa a multidão de espíritos alienados aos pregadores que falavam daquele palanque.

Havia um vento úmido soprando, o que esfriava o ambiente sombrio. O sol teimava em aparecer dentre as densas nuvens do lugar, mas pouco adiantava.

Ele usava uma capa preta, que lhe cobria todo o corpo, como disse acima. Eu pude ver que ele segurava uma bengala, também preta. Virgílio parecia que estava pensando ou meditando. O silêncio só era interrompido pelo barulho do vento, que uivava como se anunciasse uma tempestade, e os ecos dos gritos daqueles que saudavam a palestra lá embaixo.

– Esse lugar tem nome, Lucas? – perguntei.

– Sim, é chamado de Montanha, é o lugar mais alto do Umbral.

Continuamos nossa caminhada. Estávamos a uns cem metros do encontro. Foi quando Lucas começou a me falar um pouco mais sobre o nosso ilustre personagem.

– Osmar, Virgílio é um líder aqui, e tem muitos seguidores. Ele lidera uma das mais temidas falanges dos obsessores que trabalham com vocês encarnados. Todos os seus soldados, como assim ele os chama, vestem essa capa preta.

– Que coisa horrorosa, Lucas. E como ele conseguiu todos esses seguidores?

O Umbral é como uma cidade terrena, onde líderes, governantes e chefes deliberam sobre os demais que vivem nesse lugar. Mas você ficará muito surpreso após conhecer o trabalho de Virgílio e seus soldados. O tipo de obsessor que ele é. Eu vejo que você está muito curioso.

– Sim, Lucas. Na verdade, eu estou com um pouco de medo. Esse lugar me assusta.

– Não fique, confie. Fui eu quem te trouxe até aqui, por tanto fique em paz.

– Sim, eu confio. Lucas me perdoe, mas minhas dúvidas certamente são as dos meus leitores.

– Sim, Osmar. O que quer saber?

– Tudo... Como assim, líderes?

– Osmar, o Umbral é uma cidade como todas as cidades que existem na terra. Aqui, tudo o que vocês experimentaram na vida terrena é possível. Aliás, em todos os planos da criação, tudo é possível. O umbral é plasmado pelas mentes humanas. Esse lugar só existe porque vocês o criaram. É bom sempre lembrar que nós, os espíritos, somos cocriadores com o Pai. Todos os nossos desejos e vontades criadas em nosso subconsciente tornam-se realidade na vida após a vida. Só depende de você tudo o que pode lhe acontecer e tudo o que o cerca. Lembre-se: você é um pequeno Deus em treinamento.

Nossa! – pensei.

Lucas prosseguiu:

Espíritos milenares que vivem nessa região, e que não querem se libertar dela, adquirem poderes sobre outros espíritos, principalmente sobre os ignorantes, aqueles que não adquiriram ainda algum intelecto. É como na Terra, que há os mais sábios desfrutando dos mais humildes de sabedoria e usam dessa ignorância para satisfazer seus mais íntimos desejos.

Pode me explicar melhor Lucas?

– Sim, claro que sim. Vamos lá:

Na Terra existem espíritos maus encarnados, espíritos sábios, que tem poder sobre os mais humildes, não é assim? Espíritos que já adquiriram um certo intelecto e que se valem de seus conhecimentos para dominar outros seres. Esquecem-se que deveriam estar auxiliando o Criador com suas criaturas.

– Sim, infelizmente é o que mais vemos.

– Pois, bem... aqui, como na Terra, espíritos espertos usam de sua sabedoria para iludir e enganar àqueles que ainda não compreendem o que são, na verdade todo espírito que chega aqui, tem a consciência da eternidade, e tendo essa consciência decide por viver assim. Mas não se preocupa em expressar aquilo que aprendeu de bom na encarnação, e deixa-se levar pelas mentes sábias desse lugar.

– Meu Deus!

– Osmar, o que mais um bêbado quer?

– Bebida.

– O que mais um drogado quer?

– Droga.

– No plano terreno também é assim?

– Sim. Existem milhares de pessoas viciadas que não querem e não conseguem deixar o vício. Fazem qualquer coisa por uma dose.

– Aqui não é diferente, Osmar.

– Mas se já se compreendem como espíritos eternos, por que não deixam esses vícios? O vício vem com agente?

– Sim, o perispírito é cópia fiel do espírito. Assim, se perdes uma perna, chegas aqui sem ela, não é assim?

– Sim, por isso escrevemos tanto sobre refazimento perispiritual. Sobre os hospitais espirituais que se dedicam ao refazimento de conscientização e cura.

– Pois, bem, aqui no Umbral, também existem clínicas de desintoxicação, mas eles não querem se desintoxicar.

Esses espíritos querem viver assim. Aqueles que se arrependem e pedem ajuda, como você mesmo relatou, são levados a hospitais espirituais capacitados para o processo de desintoxicação e assim recomeçam.

Depois são levados para a conscientização e a partir daí, decidem o que é melhor para eles. Isso você tem retratado com fidelidade em suas psicografias. Você sabe disso, não é?

– Sim, Lucas, já escrevemos muito sobre isso. A Nina me mostrou como todo esse processo se dá nas mensagens edificadoras que ela traz em seus livros. E pode o espírito viver aqui, assim livremente, sem ser punido, Lucas?

– És livre, lembra... esquece essa história de punição. Já estás na condição de se enxergar como espírito. Espíritos não devem, se ajustam.

– Como assim, Lucas?

– Vocês, encarnados, foram educados religiosamente como devedores. Não há devedores para o Pai. Esqueça essa história de devedor, você não deve nada a Deus. Nenhum espírito deve a Deus. Somos espíritos eternos, e temos a eternidade para a evolução necessária a ascender planos superiores. O destino de todos os espíritos, é a perfeição, nunca se esqueça disso. É errando e acertando que consegues o apogeu. Além do mais, tens o livre-arbítrio.

– Sim, livre-arbítrio, eu havia me esquecido disso...

– Pois bem, tudo o que podes encarnado, podes desencarnado. És e serás sempre livre.

– Mas, e a Lei Maior?

– A Lei Maior é aplicada aqui assim como no plano dos encarnados. Sabe qual é o grande problema de vocês, Osmar.

– Não, não sei.

– Acreditar que Ele pune. Definitivamente vocês têm que acreditar que sois livres, e sendo livres, são livres em vida e após a morte física. Nunca serás reprimido pelo Criador. Ele é o maior educador. É através das oportunidades que vais apurando o melhor de ti, e assim atingirás o objetivo maior.

– Liberdade?

– Sim, todo espírito é livre, estando aqui ou na carne.

– Meu Deus, como somos ignorantes.

– Não é questão de ignorância e sim de esclarecimento. Nós estamos no universo para vos auxiliar, essa é a função daqueles que compreendem as Leis Divinas e as coloca em prática. Não adianta você alcançar a luminosidade se sua luminosidade não ilumina os espíritos ao seu redor. Se não consegues iluminar tua caminhada, em qual caminho andarás? "Não se adquire luz sem renovação"

– E eu achando que tenho que cuidar somente de mim e dos meus.

– Os seus poderão passar por esse lugar, os seus poderão viver nesse lugar, e como você vai poder ajudá-los se ainda não compreende o amor? Como auxiliar o inexplicável, como iluminar se andas em trevas? A reforma íntima é o primeiro passo, Osmar.

– Quer dizer que tudo o que temos na terra temos na vida pós vida?

– Sim.

– Tudinho?

– Tudo, o que lhe serve para evoluir é espelho em todos os planos. Assim, se tens as experiências evolutivas no plano físico, tens as mesmas oportunidades quando deixares a vida corpórea. Até mesmo aqui no Umbral.

– Como explicar isso para os encarnados?

– Desta forma que estamos fazendo. Os encarnados precisam compreender-se como espíritos plenos, espíritos eternos que são, e que recebem todos os dias uma página em branco no livro da existência. O que você escreve nela, é de sua inteira responsabilidade.

– Isso eu já aprendi Lucas, somos semeeiros. Colheremos na vida espiritual as mazelas, ou o plantio da boa semente.

– Isso, Osmar. Como poderás colher na vida espiritual aquilo que desconheces? Como poderás colher na vida espiritual se ela foi totalmente diferente da vida material?

– É verdade Lucas.

– Aqui, se reflete lá, e lá se reflete aqui... entende?

– Sim, agora compreendo.

– O que vocês estão recebendo são oportunidades, aproveite-as. Esses livros que chegam a todo tempo dos planos que ainda desconheces, são oportunidades esclarecedoras do que se vive após a vida.

– Me perdoe Lucas. Mas por que outros evangelistas não escreveram sobre isso?

– Alguns escreveram sim, Osmar, tudo tem seu tempo certo. Não se ensina matemática a quem ainda não sabe ler ou escrever. Por isso é chegado o tempo de mais informações sobre a vida pós vida. É chegado o momento de vocês serem esclarecidos sobre o que acontece após a vida terrena. Ao desprender-se da carne há um mundo de possibilidades, e nós estamos aqui para esclarecê-los e auxiliá-los.

– Sou grato, Lucas.

– Não seja, escreva, evolua. Dê uma boa olhada a seu redor... o que você está vendo?

– Várias cidades, dentro de uma escuridão incompreensível.

– Como assim incompreensível?

– Não consigo entender por que esse lugar é assim.

– Assim como?

– Escuro, fétido, triste, sem vida.

– É o reflexo das mentes que vivem aqui. Embora esses espíritos pareçam estar felizes com a vida que levam aqui, eles ainda não compreenderam que precisam modificar seus pensamentos para que tudo se transforme. Mentes em sintonia, energia condensadora.

– A mente comanda tudo?

– Sim, a mente comanda tudo ao seu redor. Observe o que está acontecendo no planeta Terra nesse momento.

– O que, Lucas?

– Vocês estão trancafiados dentro de casa, sem poder olhar o sorriso de uma criança.

– É muito triste o que estamos vivendo.

– Vocês estão colhendo o pensamento da mente coletiva. Aquilo que plasmaram ao universo.

– Como assim, Lucas.

– Se uma mente pensa uma coisa sozinha ela não tem poder suficiente para materializá-la, a não ser que esse desejo/pensamento seja como um mantra, mas se cinco bilhões de mentes pensam igual, o pensamento se condensa, daí o vírus que aterroriza todas as nações.

– Quer dizer que o que estamos vivendo com o Covid-19 é a condensação das mentes?

– Sim, colhe-se o que se semeia, lembra?

– Meu Deus.

– Seu Deus?

– Sim, meu Deus.

– Pare de culpar Deus por tudo o que vos acontece. Ele nada faz a seus filhos, a não ser dar a todos os espíritos oportunidades evolutivas infinitas. Ele é amor em essência. Ele é perdão, bondade, caridade, benevolência e acima de tudo, misericordioso.

– Sempre culpamos Deus por tudo de mal que nos acontece.

– Um dia compreenderás o que és em essência e tudo ficará mais fácil.

– Podemos mudar o que está nos acontecendo?

– Mude o pensamento. Mude a mente, a vibração.

– Mudar o pensamento coletivo?

– Sim, dê o primeiro passo.

– Acho que estou dando a minha contribuição para um mundo melhor, através das obras que vocês me passam.

– Isso, faça a sua parte. E se todos fizerem um pouquinho, esse pouquinho somado a outros pouquinhos, mudam um monte de lugar... como Ele disse...

– Sim, Jesus nos guiou.

– Ele ainda está no leme, Osmar.

– Acredito que sim.

– Creia, Ele é o caminho, a verdade e a vida.

– Precisamos compreender melhor os desígnios de Deus, Lucas.

– Vocês estão no caminho.

– Sério?

– Sim, vocês estão no caminho.

– Que boa notícia.

– Escreva, Osmar, escreva.

– Sim, vamos continuar.

– Osmar, eu tenho que te dizer uma coisa.

– Diga, Lucas.

– Quando você desencarna e chega ao Umbral, você continua livre para permanecer nele, ou pode deixá-lo. Todos precisam se conscientizar disso. Você continua livre, como disse acima.

— O que eu preciso fazer para deixá-lo, Lucas?

— Daqui só sai aquele que quer sair, nenhum espírito é forçado a deixar o Umbral. Essa é uma zona livre, livre de tudo, assim como todos os lugares existentes no Universo. Aqui tudo pode. Após o desencarne terrenos adquires a liberdade plena. E esse sentimento de liberdade plena todos alcançaram, pois a liberdade da carne vós liberta para viver plenamente. Osmar, daqui só se sai por dois motivos.

— Quais, Lucas?

— Arrependimento sincero, e misericórdia divina, e essa está sempre disponível para todos os filhos da criação.

— Em quais casos mais se sai daqui?

— O arrependimento, a mudança de vibração, o desprendimento dos vícios e a transformação moral. Isso chamamos de arrependimento sincero.

— Isso dificulta muito aos espíritos que aqui vivem, não é Lucas?

— Sim. Os prazeres, a ignorância, os vícios prendem esses espíritos aqui.

— Vendo que eles podem beber, se drogarem, dificilmente eles se arrependerão, Lucas.

— Essa é a nossa maior batalha no Umbral. Eles têm sabedoria para liderar e comandar os mais sensíveis e menos instruídos. Esses líderes, são o nosso maior desafio.

– Não poderia Deus puni-los? Afinal eles estão fazendo o mal aqui.

– Deus não pune nenhum de seus filhos, como eu já te disse.

– Eu acho que Ele deveria.

– Não pense como se você tivesse somente essa vida. Pense como um Ser pleno que expia para se tornar perfeito. Vidas são como trocar de roupa, vais trocando até encontrar a roupa perfeita. Aquela que melhor reveste o espírito.

– Sou grato por teus ensinamentos, Lucas.

– Não agradeça. Estamos em missão.

– Lucas, é por isso que muitos não querem sair daqui?

– Por esse motivo esse lugar está tão cheio, Osmar.

– Haverá um dia em que o Umbral será esvaziado?

– Eu acredito que não. O que acontecerá será o exílio desses que vivem aqui por muito tempo. Serão exilados para outros umbrais, ou renascerão na carne, e renascendo, recebem novas oportunidades evolutivas. Osmar, o Umbral é uma condensação das mentes humanas, lembre-se sempre disso. Enquanto as consciências humanas não mudarem, esse lugar existirá.

– Será que na nova era, a era da Regeneração, isso tudo vai mudar?

– Sim. Mas isso ainda vai demorar um pouco. Vamos à história que temos para contar?

– Sim, vamos. Eu gostaria de lhe fazer só mais uma pergunta.

– Então, faça.

– Por que somos assim, Lucas? Por que não nos modificamos logo e ajudamos o Criador nas tarefas evolutivas?

– Cada espírito tem seu tempo, e o tempo é o senhor dos ajustes e da verdade. Nunca se desespere diante de uma dificuldade, elas são instrumento de evolução para o espírito.

– Gratidão Lucas, gratidão!

– Não agradeça, evolua. Evolua sem se importar.

– Como assim sem me importar?

– O que mais atrapalha os espíritos a evoluírem é ficar preocupado com o que os outros vão pensar. Muitos irão e estão a criticar vários médiuns que trazem nesse momento informações importantíssimas sobre a vida após a vida. Se você der ouvidos às críticas, logo desistirá, e abandonando, abandonarás as oportunidades que esses ensinamentos vos traz, portanto, faça com fé, com determinação e sem se importar com o que as pessoas pensam, faça a sua parte. E siga os seus instintos, é nele que habita o Senhor.

OBSESSOR

– Isso eu já aprendi Lucas. Não vou parar, não vou desistir de ajudar tantas pessoas que estão ao meu lado. Sabe Lucas, eu recebo muitas mensagens de gratidão pelos livros, e isso me impulsiona a seguir em frente. Há algumas com críticas, essas tiro como lições necessárias à minha melhora pessoal.

– Siga em frente sem fraquejar, sem se melindrar e, acima de tudo, siga confiando que Jesus está no leme do planeta em que expias nesse momento. Ele jamais os abandonou. Ele nunca deixou de estar entre vós.

– Confio, e sigo sem pestanejar.

– Que bom, Osmar.

– Obrigado, Lucas.

– Vamos escrever?

– Sim, vamos em frente.

– Mas antes deixa eu te dizer uma coisa: Virgílio é um espírito antigo, está no Umbral há muitos anos, ele vai te contar. A missão desse Obsessor vai surpreender a você e aos seus leitores. Tudo está em conformidade com a vontade do Criador, vocês poderão ver nessa obra, que nem tudo está perdido e que nenhum de vocês estão ao acaso. Tudo tem um motivo, uma razão e uma solução. Até um obsessor tem a quem respeitar.

– Compreendo, Lucas.

– Agora vamos escrever, fique atento a todos os detalhes para que seus leitores e você não desperdicem esse nobre ensinamento.

– Sim, pode deixar, Lucas.

– Vamos em frente.

– Vamos.

> *Busque em Deus os ensinamentos que necessitas para a renovação interior.*

Lucas

Virgílio

Nos aproximamos de Virgílio. Ele parecia perceber nossa presença, mas nem ao menos se virou quando chegávamos por detrás dele.

Meu medo só aumentava, pois a cada passo que dávamos, a escuridão aumentava e o vento soprava mais forte.

Uma névoa escura nos envolveu naquele momento.

As minhas pernas começaram a fraquejar.

Lucas, percebendo minha insegurança me pegou pelo braço na altura do cotovelo direito, e foi me conduzindo ao encontro.

– Venha, Osmar, mantenha a calma.

– Sim, Lucas.

Nossos passos se tornaram mais lentos. O lugar é bem íngreme.

Assim, chegamos muito próximos do vulto escuro. Daquele espírito alto e forte.

Lucas ficou de pé ao lado de Virgílio sem ao menos dar um bom dia, ou boa tarde. Eu já estava perdido no tempo. Calado estava, calado fiquei.

O homem permaneceu quieto, olhando fixamente para o vale a seus pés.

Nos postamos ao lado dele.

Ele, Lucas, e eu, ao lado do Lucas. Ficamos à direita de Virgílio.

Eu comecei a observar aquela temerosa figura mais detalhadamente.

Alto, medindo aproximadamente dois metros de altura. Negro, barbudo. Ele usava uma camisa de mangas compridas abotoadas no punho presa por duas abotoaduras reluzentes. Calça preta, sapato preto, bem polido, elegante e musculoso. No peito um colar de pedras preciosas e reluzentes enfeitava a vestimenta, as pedras eram coloridas. Sua bengala tinha uma pedra de cor vermelha, parecia ser um rubi.

Lembrei-me de Tranca-rua, um Exu muito famoso na Umbanda.

Virgílio parecia esperar pelo momento certo para nos cumprimentar.

Lucas vestia uma túnica branca que lhe cobria todo o corpo. Reluzente, eram as roupas de Lucas que clareavam um pouco aquele lugar sombrio e frio.

Os segundos passavam, e o silêncio, me apavorava.

Virgílio aparenta uns cinquenta anos.

Ficamos assim por alguns minutos, até que o silêncio é quebrado pelo nobre obsessor.

– O que fazes por aqui Lucas? – disse Virgílio, sem ao menos virar seu rosto para nós. Ele continuava fitando o horizonte.

– Eu trouxe um amigo. Gostaria, com sua permissão, de contar sua história.

– E qual é o interesse em minha história?

– Há muito tempo venho lhe procurando para mostrar a todos como vivem os obsessores, o seu trabalho com outros obsessores e tudo o que você faz aqui no Umbral e no plano terreno.

– Por que eu contaria a minha vida para alguém?

– Porque está na hora das pessoas te conhecerem. Saberem um pouco mais sobre a obsessão.

– Lucas, você mais do que ninguém sabe os motivos que tenho para viver assim e fazer o que faço. Como você sabe, eu sou a balança, o meio. Meu trabalho é antigo e faço isso por ordens superiores. Não vejo motivos para relatar minha vida.

– Eu conheço perfeitamente seu trabalho Virgílio, e acho que sinceramente você já deveria ser mostrado para as almas encarnadas. Você tem a admiração de centenas de protetores, anjos e de nós, de Amor e Caridade.

– Não vamos entrar nesses pormenores, não é Lucas? E quem é esse rapaz?

– Um escritor.

– O que faz um escritor aqui?

– Ele escreve o que vê, relata a vida após a vida.

– Vejo que ele está desdobrado.

– Sim, ele ainda está encarnado, e tem esse dom.

– Um belo dom, para quem sabe usar.

– Obrigado – entrei na conversa, nervoso.

– Por que estás nervoso meu rapaz? Como é seu nome?

– Osmar, senhor.

– Por que estás nervoso?

– Na verdade estou é com medo.

– Medo de quê?

– Desse lugar.

– Esse é um dos lugares do Umbral. É aqui que vivo. É um bom lugar, quando se tem o que fazer.

– É, o Lucas e a Nina já me trouxeram algumas vezes aqui.

– O Osmar escreve sobre o espiritismo. Ele já esteve aqui algumas vezes e relata para os encarnados o que vê. Tem alguns livros publicados, está no caminho – diz Lucas.

– Você acha mesmo prudente contar o que faço aqui e na Terra, Lucas?

– Acho que estamos no momento apropriado.

– Apropriado?

– Sim, a Terra passa por um momento difícil e precisa de mais informações. É um momento de sofrimento. As criaturas estão em colheita. Se podemos aliviar, seremos úteis.

Virgílio dá uma gargalhada. O que me assustou ainda mais.

– Vocês são muito engraçados. Sofrimento? Você acha mesmo eles estão sofrendo?

– Acredito que sim.

– O que é sofrimento para vocês?

– Viver em trevas senhor. As doenças, o ódio, os crimes inexplicáveis, a corrupção, o roubo, a desonestidade e muito mais – disse.

– Olhem para baixo, o que vocês estão vendo?

– Suas cidades – disse Lucas.

– Pois bem, se tenho algumas cidades sobre o meu domínio, tenho muitos espíritos seguidores, e tenho os meus soldados que cumprem minhas ordens, achas que sofro?

– Eu acho que não. Acho que você tem feito um bom trabalho, mas acho também que você deveria ascender às Colônias – disse Lucas.

– Lucas, por acaso você sabe há quanto tempo eu vivo aqui?

– Não, não sei, mas posso assegurar que são muitos anos. Antes de vir para cá eu conversei com Daniel e ele me instruiu para essa missão.

– Trezentos anos Lucas. Trezentos anos – afirmou Virgílio.

– Pois já passou da hora de passar o bastão a outro espírito e seguir em frente, seguir seu caminho – insiste Lucas.

Virgílio sorri novamente. Desta vez ele olha para nós.

– Venham, vamos até o outro lado do monte.

Virgílio se vira e começa a caminhar em uma trilha para a direita do lugar em que estávamos.

Caminhamos enfileirados e calados, até o outro lado da colina.

Virgílio à frente, seguido por Lucas e eu atrás.

Após algum tempo chegamos em uma caverna luxuosa. Um lugar melhor, mais claro e um pouco menos feio. Já não ventava mais.

– Entrem – disse Virgílio.

O lugar era luxuoso. Havia várias cadeiras e no centro uma luxuosa poltrona que mais parecia um trono.

Ao lado do trono onde ele se sentou, havia uma pequena mesa com um jarro e algumas taças.

Nos sentamos em duas cadeiras a sua frente.

– Estão confortáveis?

– Sim – disse Lucas.

– E você rapaz?

– Sim, senhor.

– Querem beber algo?

– Não – disse Lucas.

– E você rapaz?

– Não, muito obrigado.

– Lucas meu amigo. Eu estou há muito tempo aqui, sou responsável pelo equilíbrio, como sabes. Comando uma falange de espíritos que em algumas encarnações falharam e tornaram-se devedores. Esses auxiliares receberam uma nova oportunidade, e sendo assim precisam de alguém com meus conhecimentos e sabedoria para conduzi-los ao caminho redentor.

Os débitos contraídos nas encarnações são reflexos das mazelas da alma. A má utilização do livre-arbítrio. Nada se perde. Como sabes, eu tenho uma função, que é equilibrar as energias densas estabelecidas nas vinganças. A grande maioria dos espíritos que expiam no orbe terreno nesse momento são devedores.

Esses débitos contraídos devem ser solucionados, você sabe disso, não é Lucas?

– Sim, perfeitamente – disse o mentor.

– Dente por dente, olho por olho – prossegue Virgílio.

A justiça divina está presente em todos os lugares do Universo, meu jovem escritor. – disse ele olhando para mim... e prosseguiu:

E o que faço é administrar as discordâncias, oportunizando aos espíritos a expiarem sobre seus erros.

Não sou um obsessor qualquer, você sabe disso, não é Lucas?

– Sim, Virgílio.

– Não obsidiamos os que não devem ser obsidiados.

A obsessão é junção de energias e pensamentos. Nós não conseguimos obsidiar aqueles que não estão em sintonia conosco. Embora tenhamos a capacidade e meios de implantar nas mentes, nossos desejos. Mente vazia, território de obsessão, mas esse não é o nosso trabalho.

Causas, efeitos...

Aquele que deve, tem por dever pagar. E é pagando débitos pretéritos que os espíritos se equilibram e se ajustam ao Universo.

Aquele que mata, tem que morrer?

Aquele que maltrata, deve ser maltratado para conseguir compreender a dor que causa?

O que vocês acham?

Causa e efeito. Ação, reação?

É claro que há alguns casos em que a misericórdia divina nos instrui a fazer diferente. Mas, os espíritos em expiação têm deveres, e devem ser conscientizados e responsabilizados pelos seus atos.

Nada está ao acaso, como sabes... "não se pode sacrificar o cordeiro, quando o responsável é o pastor".

– É sobre isso e tudo mais que eu gostaria que você revelasse para que o Osmar escreva – insiste Lucas.

– Tarefa difícil a sua, meu rapaz.

– Estou pronto, senhor!

– Muitos acham que nós obsessores estamos à procura de quem obsidiar. Ledo engano. Só obsidiamos aqueles que nos permitem a obsessão ou por causas e efeitos. Aqueles que estão em sintonia conosco ou que permitem através da vibração negativa nossa interferência obsessiva, ou aqueles que vivem constantemente nos invocando.

Lucas, da última vez que nos encontramos você estava ajudando um espírito que por muito tempo sofreu aqui no Umbral.

– Eu e o Osmar relatamos isso no livro "Acordei no Umbral".

– Meu querido Lucas, eu tenho muita estima por você e por todos os espíritos da Colônia Espiritual Amor e Caridade. Admiro o trabalho conduzido por Daniel. Vocês têm ajudado muitos espíritos esclarecendo-os sobre como são as coisas por aqui, amparando-os e esclarecendo mentes vazias.

Muitos dos meus comandados me relatam a interferência de vocês em nossos processos obsessivos. Eu nunca questionei você e muito menos suas vitórias sobre nossas derrotas. Há sempre um motivo maior para a interferência dos iluminados nas questões obsessivas. Respeito o trabalho do Daniel e seus comandados.

Nós não perdemos tempo com esse tipo de coisa. Quando estamos obsidiando alguém e sofremos a interferência dos iluminados, sabemos que não vale a pena voltar ao campo de batalha, afinal há mais mentes tendenciadas ao mal do que aqueles que querem reformar-se para a prática do bem.

Ontem no final de nossa reunião mensal eu recebi a visita de Daniel, você sabia?

– Sim, ele me avisou que viria conversar com você para solicitar essa psicografia.

– Pois bem, foi um encontro muito agradável. Daniel é um sábio e um grande amigo.

Hoje quando você chegou eu estava no lugar onde costumo fazer as minhas reflexões.

Ali eu me conecto a mim mesmo e tomo minhas decisões.

– E você vai nos ajudar? – disse.

– Sim, eu vou conceder essa entrevista. Vamos conversar. Eu vou lhes auxiliar a explicar como vivemos, por que vivemos, o que fazemos, e por fim, nossos objetivos.

– Quem bom, Virgílio. E quando podemos começar?

– Vamos fazer assim, eu vou autorizar que vocês acompanhem o Ricardo. Ele está em tarefa obsessiva. Assim vocês relatam tudo o que acontece. Depois nos encontramos novamente para conversarmos, pode ser?

– Sim, claro – diz Lucas.

– Então estejam aqui amanhã. Eu vou orientá-lo a levá-los ao plano terreno.

– Combinado – disse Lucas.

– Até amanhã – disse Virgílio.

– Até – disse Lucas se levantando e me puxando pelo braço.

Saímos daquele lugar deixando o dirigente obsessor sentado em seu trono.

– Venha, Osmar, vamos voltar.

Me levantei, cumprimentei Virgílio com um gesto de cabeça e saímos.

Caminhamos até um lugar lindo. Me vi nos jardins de Amor e Caridade.

– Estamos na Colônia, Lucas?

– Sim, precisamos conversar.

Caminhamos até acharmos um banco embaixo de uma frondosa árvore de flores amarelas.

O ipê já tinha se encarregado de forrar o chão com suas perfumadas flores.

Era tarde, e o sol irradiava sua luz alaranjada sobre Amor e Caridade. Logo me emocionei por estar novamente na colônia.

Nos sentamos no primeiro banco disponível.

Havia vários espíritos caminhando no lugar, alguns estavam sentados nos extensos gramados, conversando e descansando.

– Lucas, esse lugar me fascina.

– É linda a nossa colônia, não é Osmar?

– Sim. Deus é perfeito.

– Você está bem?

– Lucas, eu estou meio confuso.

– O que houve?

– Estávamos em um lugar frio, negro, horroroso. Agora estamos aqui. Foi tão rápida essa transição.

– É assim mesmo, isso se deu porque você está ao meu lado. Essa transição só é possível quando estás ao lado de um espírito elevado.

– Eu gostaria de viver aqui, Lucas.

– Méritos. Trabalhe pela sua evolução e conquiste esse lugar.

– Espero estar no caminho certo.

– Não tenha dúvida que estás à caminhar. Só não te desvies.

– Faço o melhor de mim todos os dias Lucas.

– Continue assim.

– Obrigado, Lucas. O que realmente iremos contar nesse livro?

– Tudo aquilo que eu e o Virgílio relatamos acima.

– Tudo o quê?

– Vamos acompanhar um obsessor, e poderemos contar tudo o que acontece.

– Estou ansioso.

– Não fique, escreva.

– Lá vem você com essa frase novamente.

– Osmar, estás em missão ao nosso lado. Faça tudo conforme orientamos e no final todos irão ganhar.

– Sim, Lucas. Obrigado por essa oportunidade.

– Não agradeça, escreva.

– Sim, vamos escrevendo e alimentando almas.

– Isso, a leitura enobrece o espírito, expande a consciência e alimenta a alma. Aquele que lê não se perde.

– Ler é adquirir conhecimento, não é Lucas?

– Sabedoria, Osmar, sabedoria.

– Virtudes necessárias ao espírito?

– Isso, mesmo.

– Mudança moral e intelectual são as principais necessidades do espírito em evolução.

– Isso, Osmar. Isso mesmo, parabéns!

– Vamos em frente.

– Sim, te encontro em breve para podermos continuar.

– Te esperarei.

– Até, Osmar.

– Até, Lucas.

Assim ele me deixou naquele dia após me levar para casa e me desligar do desdobramento.

Fiquei muito curioso. O que será que um obsessor tem para nos mostrar?

Um líder? Como assim?

> Almas aflitas, território da obsessão.

Lucas

Ricardo

Naquela madrugada Lucas chegou até o meu quarto e me acordou suavemente.

– Osmar?

Após resmungar um pouco, abri os meus olhos e vi aquela linda figura a iluminar todo o ambiente.

– Oi, Lucas.

– Vamos nos encontrar com o Ricardo?

– Sim, vamos. Me deixa lavar o rosto e preparar um café.

– Vou te esperar.

– É rápido, já estou indo.

Me levantei lentamente para não acordar a minha esposa, lavei o rosto, preparei uma xícara de café e me dirigi ao escritório. Era por volta das quatro horas da manhã.

Lá estava ele, me esperando pacientemente.

– Desculpa a demora.

– Você não demorou. Osmar nós vamos nos encontrar com o Ricardo, ele está em uma casa onde obsidia uma menina. Anote tudo o que ele falar.

– Pode deixar, Lucas.

OBSESSOR

Me sentei, organizei os papeis. Fiz a minha prece e Lucas me conduziu em desdobramento e tudo começou.

Chegamos à casa de uma menina de uns dezessete anos. Era madrugada, ela estava sentada em sua cama, naquela noite como nas muitas noites, ela ainda não havia conseguido dormir.

Seu nome era Ana.

Era uma casa muito luxuosa, parecia que eram de uma família com muitas posses.

O quarto era bem decorado e os móveis embutidos, todos em um tom rosado.

Havia quadros com fotos dela com seus pais e dois irmãos. Dois rapazes que eram mais velhos. Eu fiquei muito impressionado com o luxo do lugar e havia muitas obras de arte, o que me chamou muito a atenção.

No canto do quarto havia uma escrivaninha, e na cadeira dessa escrivaninha havia um homem sentado.

Ele era alto e forte. Usava uma capa preta que lhe cobria todo o corpo.

Logo vi se tratar de um obsessor.

Eu e o Lucas nos aproximamos lentamente.

– Boa noite, Lucas?

– Boa noite. Você é o Ricardo?

– Sim.

– Esse e meu amigo, Osmar.

– Sejam bem vindos. O Virgílio me falou sobre vocês.

– Viemos ver seu trabalho.

– Minha obsessão?

– Sim. Gostaria que você nos explicasse por que obsidia essa menina?

– Ela parece um anjo, não é?

– Sim, é uma jovem bonita, embora muito magra.

– Sou eu quem não a deixa comer.

– E por que você faz isso? – perguntei.

– Essa menina, se chama Ana e colhe nessa encarnação tudo o que fez no passado. Estamos em sintonia. Ela obedece a meus comandos, logo vocês saberão o porquê dessa obsessão.

– Obsessão de vidas passadas? – perguntou Lucas.

– Exatamente isso. O que faço a ela tem permissão. Ela consente.

– Como assim? – perguntei.

– Aquilo que semeias, colhe, simples assim. A partir do momento em que ela me sintoniza eu entro em ação.

– Perdoe-me Ricardo, mas você pode nos explicar isso melhor? – perguntei.

– Para que vocês entendam o que está acontecendo aqui, é necessário que visitemos o passado de Ana.

– Podemos? – perguntei.

– Sim, meu rapaz. Vamos visitar uma das vidas de Ana.

Me coloquei de pé, ansioso.

Lucas ficou ao meu lado.

Naquele momento adentramos uma estrada que nos levou a um orfanato. Era um prédio antigo daqueles de pequenas propriedades interioranas. Caminhamos lado a lado sem ao menos trocarmos uma só palavra. O silêncio me incomodava muito, mas aprendi a esperar pelas informações tentando me tranquilizar, afinal o que Ricardo queria me mostrar naquele lugar?

Chegamos finalmente e havia uma placa que dizia: "Orfanato Santa Terezinha".

Eu, Lucas e Ricardo chegamos bem em frente ao prédio e paramos por alguns segundos, parecia que ele queria que eu anotasse aquele nome.

Ficamos ali de pé os três a esperar por alguma coisa, foi quando ouvimos uma sirene, era hora de algo muito importante.

Naquele momento as portas do orfanato se abriram e duas senhoras traziam enfileiradas umas trinta crianças. Todas com idade entre cinco e sete anos.

Elas estavam mal vestidas, mas sorriam mesmo assim. A alegria da liberdade era visível naqueles rostinhos humildes.

Logo que chegaram à frente do parquinho, a esquerda do prédio, elas foram autorizadas a brincar.

A festa era linda. Umas escorregavam no escorrego, outras se balançavam nos balanços e outras brincavam na areia do lugar como crianças normais.

Notei que todas eram muito magras. E as roupas eram na verdade trapos.

As duas damas se posicionaram para vigiar as crianças.

Eram meninos e meninas.

Mais meninas do que meninos.

– Que bonito isso aqui, Ricardo – disse.

– O que você vai ver transformará seus sentimentos, Osmar.

– Até agora vejo crianças sendo cuidadas com muito carinho por essas senhoras.

– Não são crianças comuns, são órfãos.

– Sim eu li a placa, orfanato.

– Mas não é um orfanato como os que você conhece.

– Como assim Ricardo?

– Seus pais foram assassinados. Essas crianças estão marcadas pelo destino.

– Meu Deus, como assim?

– Estamos no pós guerra. Essas crianças perderam a razão de viver e pior perderam a dignidade. Elas foram arrancadas de suas famílias que foram assassinadas em sua frente. A maioria delas assistiu à execução de seus pais.

– Você pode explicar melhor?

– Essas crianças tiveram seus lares invadidos por tiranos que assassinaram seus pais. Não eram soldados e sim enviados de uma ordem.

– Uma ordem?

– Sim, durante a guerra havia tiranos que eram comandados por cruéis governantes, e que por decisões monocráticas decidiram por vidas. Seus pais eram judeus.

– Meu Deus. Então essas crianças eram filhas de judeus? Elas são judias?

– Sim. Mas não é a história dessas crianças que nos interessa nesse momento.

– Sim, nosso caso é a Ana – disse.

– Você está vendo essas damas?

– Sim, duas jovens que não chegam a trinta anos.

– Pois bem, a da direita é a Ana e a da esquerda é a Maria.

– Sim.

– Elas são cruéis. Maltratam demais essas crianças. Você vai ver.

– Mas, são só crianças.

– Elas odeiam os judeus, Osmar.

– Santo Deus.

– Vamos acompanhar o que irá se passar, relate tudo em seu livro.

– Pode deixar, Ricardo.

Nos sentamos em um banco de madeira que havia na varanda do orfanato e ficamos a observar as atitudes de Ana.

Após alguns minutos, ela tocou um apito, e imediatamente as crianças formaram uma fila, meninos de um lado e as meninas do outro lado, perfilados elas esperavam pela ordem da jovem mulher.

As crianças estavam suadas e sujas.

Ana e Maria então as levaram para a parte de trás do prédio do orfanato.

Já era tarde e a brisa fria envolvia o lugar. Eu pude perceber que a maioria das crianças sentia frio, muito frio.

Nos levantamos e acompanhamos elas, e as crianças.

Atrás do prédio havia uma grande cocheira onde tinham alguns cavalos.

Na frente onde os cavalos estavam, havia uma torneira, e ligada a ela, uma enorme mangueira.

Ana pegou a mangueira de água e começou a jogar em todas as crianças que amedrontadas permaneciam com suas mãozinhas sobre o rosto para se esquivarem do jato forte de água fria.

Algumas tremiam de frio. Seus lábios já estavam roxos, meu coração ficou em pedaços. Outras ficaram estáticas. Sem movimentos. Só tremiam.

Era muita crueldade com aquelas pobres crianças.

– Agora tirem toda a roupa – ordenou Ana.

As crianças obedecem e ficam todas nuas.

Maria recolhe os farrapos largados ao chão e os coloca em um cesto onde se serve capim para os animais.

Temendo as cuidadoras, elas ficam todas caladas, esperando pelo próximo comando.

Maria traz um frasco com sabão e deposita nas pequenas mãozinhas, uma dose para cada criança. As crianças esfregam aquele sabão em seus corpinhos e logo Ana esguicha novos jatos de água sobre os corpos ensaboados. O frio é intenso naquele momento. A noite já se fazia presente.

Após alguns minutos finalmente Ana desliga a água e ordena que todas enfileiradas voltem para o grande quarto.

Ela adverte que elas não podem molhar o chão.

– Sequem os pés para não molhar o orfanato.

Uma a uma as crianças preocupadas secavam seus pés com as mãozinhas em um farrapo entregue por Maria.

Após entrarem as crianças permanecem nuas e de pé no alojamento.

Maria chega e ordena que elas se vistam.

Os farrapos estavam sobre as camas.

Após se vestirem, todas foram levadas para uma outra sala, onde havia uma grande mesa. Era a hora do jantar – percebi.

Todas as crianças se sentaram e permanecem caladas.

Uma menina negra, começou a chorar.

Imediatamente Ana se aproximou com uma palmatória.

Ela pegou a mão da menina e começou a bater com força.

– Está vendo, Osmar?

– Sim, Ricardo. Que coisa horrível.

– Guarde o nome dessa menina.

– Qual?

– A que está apanhando – disse Ricardo.

– E qual é o nome dela?

– Jasmine.

– Ok.

Após apanhar bastante a menina é levada para o quarto, naquele dia ela não comeu. Essa era a punição imposta por Ana para quem chorasse.

As outras crianças foram alimentadas com uma pasta, nojenta e mal preparada. Na verdade, elas foram servidas com um angu sem tempero em um prato de alumínio e uma colher de madeira.

Um copo de leite de cabra, foi servido após o jantar e

todas as crianças foram levadas para um dormitório, onde havia várias camas de solteiro. Após serem forçadas a orar, foram deixadas para dormir no escuro.

Ouvimos um barulho vindo da frente do orfanato. Um senhor acabara de chegar em uma carruagem preta elegante.

Nos sentamos na sala para que eu pudesse ver e relatar tudo o que iria acontecer.

O homem tratado como um rei pelas cuidadoras, foi levado até a uma luxuosa sala de jantar. Lhe serviram um cordeiro assado, arroz, uma salada de legumes frescos e vinho tinto para acompanhar.

Após o jantar o homem chama Ana para uma conversa reservada.

O escritório onde eles se encontraram tinha uma grande mesa. E alguns livros em uma estante cobria toda a parede atrás da mesa.

Havia duas cadeiras e um luxuoso sofá de couro amarelo.

– Quem é esse homem, Ricardo?

– O Nome dele é Jouber. Anote esse nome também.

– Certo!

Jouber é um senhor de aproximadamente cinquenta anos. Ele retira sua roupa e fica somente com as roupas íntimas.

Ana ao entrar faz o mesmo. E ali ficam a namorar por muitas horas.

As outras cuidadoras já estão dormindo.

E as crianças caladas em sofrimento e fome.

– Que coisa horrível, Ricardo – disse.

– Não se impressione ainda.

– Tem algo pior que isso?

– Voltaremos amanhã.

– Temos que ir embora?

– Sim – diz Ricardo. Leve-o, Lucas. Amanhã nos encontramos novamente – ordenou o obsessor.

– Até lá, Ricardo – disse Lucas que assistia a tudo calado.

– Até – disse.

Confesso que naquela noite quem não dormiu fui eu.

O que mais eu teria que escrever?

Quanta maldade... meu Deus!

Que lugar era aquele. Cuidadoras fazendo tanto mal àquelas pobres crianças. Por que motivo tudo aquilo estava acontecendo?

> A maldade afasta o coração do amor.

Nina Brestonini

A morte de Jasmine

Passaram-se alguns dias, até que Lucas novamente me procura.

Eu estava no escritório, era tarde de sábado.

– Olá, Osmar!

– Oi, Lucas.

– Como você está?

– Ainda impressionado com o que vi – disse.

– Vamos nos encontrar novamente com o Ricardo?

– Sim, vamos.

– Ele nos espera. Se prepare para o desdobramento.

Me sentei, orei e fomos juntos ao orfanato.

Ao chegar vimos o Ricardo sentado na varanda do lugar. Ele vestia aquela roupa preta e sua capa que lhe cobria todo o corpo.

– Olá Ricardo?

– Olá, Lucas. Vejo que trouxe o escritor.

– Olá, Ricardo – disse.

– Seja bem-vindo meu rapaz.

Estávamos de pé em frente ao obsessor que nos convidou a sentar.

– Sentem-se – disse ele indicando dois lugares em um banco a sua frente.

Logo eu e o Lucas nos sentamos e esperamos pelas instruções.

Após alguns minutos Ricardo começa a falar.

– Hoje, o que vocês vão presenciar poderá lhes chocar, mas é preciso que tudo seja mostrado para que todos compreendam.

– Sem problemas – disse.

Meu coração disparou. O que eu iria ver e ter que relatar?

Lucas percebeu meu desconforto e me disse:

– Osmar, o que relatamos são fatos ocorridos. O ser encarnado quando não acredita na Lei Maior é capaz de fazer coisas inimagináveis. O que Ricardo lhe mostrará é algo que acontece todos os dias no plano terreno. Portanto, não fique preocupado e muito menos triste. No final todos entenderam os porquês da vida.

– Eu estava mesmo nervoso Lucas, afinal, crianças?

– Vamos entrar– disse Ricardo se levantando.

Seguimos o obsessor até um quarto nos fundos do orfanato.

Era um pequeno cômodo sem móveis. A porta parecia ser de ferro, muito pesada e sem possibilidades de deixar sair o som daquilo que iríamos presenciar naquele dia.

Ana chega sozinha trazendo pelo braço uma menina negra, logo percebi se tratar de Jasmine.

Ela entra e tranca a porta por dentro.

Ricardo nos conduz e ficamos no canto do pequeno quarto para observar tudo o que ali iria acontecer.

Ela joga a menina no chão.

Jasmine percebia que algo de muito grave iria lhe acontecer. Ela chorava pedindo perdão a Ana.

– Não me bate, por favor! Implorava a frágil menina.

Na parede do quarto havia alguns chicotes.

Ana escolhe um que tem na ponta pequenas bolas feitas de chumbo.

O espancamento é inevitável.

A pobre menina se senta no meio do quarto e junta seu frágil corpo com os braços esperando pelo espancamento.

– Sua negrinha desgraçada – diz Ana enfurecida.

Violentamente Ana chicoteia a pobre menina, suas costas começam a sangrar.

Os farrapos que lhe cobriam o corpinho logo ficam vermelhos de sangue.

Ana não para de bater na menina até que Jasmine perde as forças e desmaia.

Eu, chocado coloquei as minhas duas mãos sobre o rosto. Eu estava incapacitado de assistir aquele terrível massacre.

Lucas se pôs em minha frente para esconder de mim aquela terrível cena.

Mesmo desmaiada Jasmine continuava a ser surrada.

– Eu vou te matar sua desgraçada – dizia Ana enfurecida.

Meu Deus – eu pensava.

Tenha piedade dessa criança, Deus.

Após vários minutos espancando a menina eu retirei minhas mãos do meu rosto e fiquei muito chocado, como assim uma mulher tão jovem fazer isso com uma pobre e inocente criança? Deus, por que você permitiu isso?

Ana, suada espancava aquele corpinho desfalecido jogado ao frio chão daquele lugar.

Após algum tempo, ela para de bater na menina. E após pendurar o chicote na parede, sai do pequeno cômodo.

Nos aproximamos da menina caída ao chão.

Nesse momento eu pude ver uma das cenas mais lindas da minha vida.

Todo o ambiente se ilumina.

Ricardo já não está mais ao nosso lado. Estávamos ali, eu e o Lucas.

A claridade nos toma.

As paredes daquele frio quarto desaparecem e uma linda jovem que logo reconheci se aproxima do corpinho caído e o toma em seus braços.

Era Nina, eu pude reconhecer.

Ao lado de Nina estavam dois jovens muito bonitos. Todos estavam vestidos de branco, suas roupas irradiavam aquela luz que envolveu todo o ambiente.

Meu Deus que coisa linda – disse em minha mente.

Nina após pegar Jasmine em seus braços olha para mim e para Lucas.

Eu estava extasiado. Meu Deus, Nina veio buscar aquele anjo.

Após olhar carinhosamente para mim e para o Lucas, Nina começa a caminhar em direção a um lindo prédio esverdeado. Seguida pelos rapazes, eles foram e nos deixaram ali.

A emoção tomou conta de mim.

Não resisti, e chorei.

Lembrei-me do livro Colônia Espiritual Amor e Caridade onde pude visitar toda a colônia e visitei aqueles prédios onde os espíritos são recebidos após a morte física.

Lucas se aproximou de mim e colocou o seu braço sobre o meu ombro como se me consolasse.

Sequei minhas lágrimas com as mãos olhando para o Lucas que sorria.

– Desculpe-me Lucas.

– Não se desculpe.

– Que coisa linda, Lucas!

– Ele nos ama, Osmar.

– Meu Deus, que coisa linda.

– Jasmine agora receberá os devidos tratamentos e logo estará bem.

– Nossa, ver a Nina fazendo isso me emocionou profundamente.

– Ela é uma das trabalhadoras de nossa colônia, como sabes.

– Que lindo Lucas, como Deus é perfeito.

– Justo e bom, Osmar.

– Sim, e agora Lucas?

– Agora o quê?

– Por que Ana fez isso? Porque ela é tão má. Jasmine devia alguma coisa a ela de outra vida?

– Não.

– Toda essa maldade foi espontânea?

– Ana tem muitos problemas aqui, Osmar.

– Mas isso não justifica matar uma pobre criança? Não justifica fazer isso.

– Concordo plenamente – disse Ricardo. Se aproximando de nós.

– Então por que ela fez isso, Ricardo?

– Venha, vamos voltar a duas horas antes desse momento – disse o obsessor.

Segui as orientações de Ricardo e me concentrei no que eu iria ver. Eu estava feliz por ter visto a Nina, mas estava muito triste com aquela cena. Não é fácil para um escritor relatar essas cenas, não é fácil para mim ter que escrever coisas que me são mostradas em desdobramento. Mas a necessidade dos fatos serem mostrados me obriga a relatar tudo o que vejo.

Segui Ricardo e Lucas até que chegamos novamente ao escritório do Jouber. Voltamos a duas horas antes do massacre.

O tempo é relativo na vida espiritual.

Os mentores conseguem nos levar a vários momentos num piscar de olhos.

Ana e Jouber estavam no escritório nus. Eles faziam sexo.

Jasmine estava com muita febre e saiu do alojamento a procura de ajuda. Ao ouvir os gemidos vindos do escritório, procurou ajuda naquele lugar.

Sem que Jouber e Ana percebessem, a menina abre a porta e entra no escritório.

Ana quando deu por si, viu que Jasmine estava olhando tudo o que acontecia. Ela estava de pé em frente a mesa com as mãozinhas sobre o peito.

Assustada Ana dá um pulo de cima de Jouber e pega suas roupas tentando cobrir o seu corpo.

Imediatamente Jouber puxou sua roupa e cobriu sua genitália.

Assustada a pobre menina só precisava de ajuda.

Ana se veste rapidamente.

– O que você está fazendo aqui Jasmine? – grita Ana.

Assustada a menina se dirige a porta sem nada falar, ela tenta sair do lugar, mas não consegue.

– Dê um corretivo nessa menina – disse Jouber.

Ana, após se vestir pega Jasmine pelo braço e se dirige ao sombrio quarto da morte.

– Ela não precisava ter matado a menina, Lucas – disse.

– Pois é, Osmar. Na verdade Ana ficou com medo de Jasmine contar para as demais crianças o que ela havia presenciado. E por isso ela achou melhor eliminar a criança.

– Quanta crueldade.

– Osmar, não foi a primeira vez que a Ana fez isso.

– O que, como assim?

– A Ana fez isso com mais três crianças.

– Ela matou mais três crianças?

– Sim.

– Meu Deus, mas o que leva um ser humano a fazer isso?

– Ganância, poder, inveja, avareza, ódio e muitas outras coisas.

– E o que aconteceu com Ana depois disso tudo?

Ricardo caminha em nossa direção.

Naquele momento, eu percebi que estávamos novamente sentados na varanda do orfanato.

– Olhe o Ricardo está vindo – disse Lucas.

Em meu peito havia um misto de sentimentos. Eu estava indignado com aquilo tudo.

O lugar agora parecia abandonado. Teias de aranha enfeitavam o teto e as paredes estavam descascadas, envelhecidas pelo tempo.

Não havia mais nada, além de poeira e destroços do orfanato.

Eu percebi que alguns anos haviam se passado.

Nos sentamos novamente no banco da varanda.

Ricardo se sentou no banco a frente do nosso.

– O que houve aqui? O tempo passou?

– Sim, Osmar, trinta anos já se passaram – disse Ricardo.

Lucas estava sentado ao meu lado.

– Depois de alguns anos, Ana foi acometida de uma doença grave. Ela contraiu lepra e foi abandonada por todos. Padeceu durante alguns anos, até que finalmente desencarnou.

– E esse lugar acabou?

– Sim, as crianças foram adotadas e seguiram seus destinos.

– O Lucas me disse que a Ana matou quatro crianças aqui nesse terrível lugar.

– Sim, ela vitimou essas crianças.

– Todas pelo mesmo motivo?

– Algumas por ódio. Outras para mostrar poder para aqueles que a dirigiam.

– Santo Deus. É por isso que você está obsidiando-a?

– Osmar, existem centenas, ou melhor, milhares de motivos para uma obsessão. Esse caso é bem específico. Vamos acompanhar outras histórias, e no final eu te revelo tudo. Pode ser?

– Sim, claro que sim.

– Então vá descansar. Acredito que o que você viu aqui lhe mexeu os sentimentos. No momento oportuno traga-o novamente Lucas, para darmos continuidade a nossa história.

– Sem problemas, Ricardo. Vamos, Osmar – disse Lucas se levantando.

Me levantei sem questionar a instrução. Eu realmente estava muito abalado com tudo aquilo.

Caminhamos por alguns minutos e chegamos novamente ao Umbral.

Nos aproximamos da caverna onde me encontrei pela primeira vez com o Virgílio. Lucas estava calado. Eu, muito impressionado com tudo aquilo e triste.

Chegamos e percebemos que Virgílio não estava lá.

– Não tem ninguém aqui, Lucas.

– Venha Osmar, vamos nos sentar e aguardar.

Obedeci prontamente, sentamo-nos nas mesmas cadeiras em frente ao trono de Virgílio.

Havia algumas tochas penduradas pelas paredes que clareava um pouco aquele lugar.

Lucas permanecia calado.

Eu até achei que ele estava chateado, foi quando puxei conversa com o mentor.

– Você está chateado, Lucas?

– Não.

– Você está quieto.

– O silêncio é um convite a reflexão, Osmar.

– Desculpe-me, Lucas.

– Não se desculpe.

Naquele momento eu resolvi ficar calado e esperar pelos acontecimentos.

Passados alguns minutos, finalmente Virgílio aparece.

Elegantemente ele chega e se senta em seu trono. Novamente reparei em suas roupas, limpas e reluzentes.

Ao seu lado uma linda jovem.

– Boa tarde, senhores – disse ele se sentando.

Maísa ficou de pé ao seu lado.

– Essa é a Maísa – disse Virgílio nos apresentando a jovem que sorriu.

– Muito prazer, Maísa – disse-lhe.

– Sejam bem-vindos – disse a jovem. Como está Lucas?

– Estou bem, Maísa e você?

– Eu estou bem, Lucas – disse a jovem com um leve sorriso no rosto.

Naquele momento eu vi que havia algo maior para nos ser revelado, entre Lucas e Maísa.

A seriedade e o silêncio de Lucas me fizeram refletir sobre aquela jovem que acabara de chegar.

Havia algo naqueles olhares. Algo que me deixou muito curioso.

– Então Lucas e Osmar, vocês estiveram com o Ricardo?

– Sim.

– E o que você achou, Osmar?

– Eu?

– Sim, o que você achou do que viu até agora?

– Eu fiquei muito impressionado com tudo o que o Ricardo me mostrou, embora ainda não tenha entendido muito bem.

– Como o Ricardo lhe disse, no final você será informado de tudo aquilo que lhe for mostrado.

– Sem problemas, Virgílio.

– E você Lucas, está tudo bem?

– Sim Virgílio, tudo bem!

– Que bom. Agora vocês seguiram para mais uma revelação ao lado de Maísa. Ela os conduzirá a outro caso que acho importante vocês relatarem para que tudo seja explicado.

– Estamos prontos – disse Lucas.

– E você Osmar, está pronto?

– Sim, senhor.

– Vá Maísa, leve-os e mostre tudo.

– Sim senhor – disse a jovem se aproximando de nós.

– Vamos Osmar, disse Lucas se colocando de pé.

Eu estava meio confuso.

Me levantei e seguimos para fora da caverna.

Estava muito escuro, foi quando a jovem pegou um bastão que estava preso a sua cintura e iluminou a nossa caminhada.

Maísa é jovem, tem uns vinte anos aproximadamente. Morena de cabelos longo, corpo escultural. Ela usa uma roupa bem colada ao corpo o que nos mostra uma silhueta perfeita.

Ela assim com os outros também usa uma capa.

Maísa caminhava em nossa frente seguida por Lucas e no fim eu os seguia.

Caminhamos por vielas de uma cidade escura no Umbral.

O lugar estava deserto.

Até que chegamos a um enorme celeiro.

– Venham rapazes, vamos entrar – disse a jovem abrindo o grande portão.

Eu me aproximei de Lucas e perguntei?

– Que lugar é esse Lucas?

– Eu não sei. Confiemos em Maísa.

– Está bem – eu disse.

> Há na vida espiritual tudo aquilo que temos na vida terrena.

Osmar Barbosa

O celeiro

Algo me deixou preocupado.

Lucas não reagiu muito bem à presença de Maísa, isso ficou nítido naquele encontro. Ele ficou reflexivo e calado, e eu pude perceber que aquele encontro marcou o meu amigo mentor.

Ele permaneceu calado e pensativo ao nosso lado.

Alguma coisa dentro de mim dizia para perguntar a ele sobre ela. Mas eu preferi guardar silêncio e aguardar o momento apropriado para meus questionamentos.

Chegamos a um lugar que eles chamam de celeiro.

Na verdade, é um grande galpão, daqueles de indústrias abandonadas. Havia outros galpões abandonados ao redor.

As paredes eram grossas e o telhado me parecia ser bem antigo, tipo um grande telhado de zinco, sujo e escuro. É uma velha fábrica – pensei.

Maísa abriu uma pequena porta no enorme portão que dá acesso ao lugar. Uma porta lateral.

Ela entrou primeiro, Lucas entrou atrás dela e eu fiquei olhando o lugar para registrar nesse livro, aquele sombrio ambiente.

As árvores que cercavam o prédio eram negras e sem folhas. Alguns galhos retorcidos estavam espalhados pelo chão junto a uma folhagem morta.

Me lembrei daqueles filmes de terror.

Uma fina névoa aterrorizava o lugar.

Lucas voltou à porta e me chamou.

– Entre, Osmar.

– Desculpe Lucas eu estava observando o lugar.

– E o que achou?

– Terrível.

– Venha, vamos entrar.

Quando entramos eu levei um grande susto. O lugar estava cheio de espíritos.

Era na verdade um grande bar, parecia um *pub*.

Havia um grande balcão onde vários espíritos estavam recostados bebendo.

Naquela hora eu pirei...

Bebida, música, bar... como assim?

Maísa seguia a nossa frente e nos conduziu para a parte superior do lugar. Subimos uma escada em caracol, que nos deu acesso à parte superior do lugar. Os espíritos que se encontravam ali, sequer olharam para nós.

Havia um grande mezanino, onde várias mesas ocupadas com homens e mulheres se divertiam. Todos riam e bebiam.

No centro do lugar, um rapaz tocava piano e outros músicos o acompanhavam.

Tudo era impressionante.

Esperei pelo momento certo para perguntar sobre tudo aquilo.

Certamente havia ali mais de oitenta espíritos, todos se divertindo. Alguns cantavam, outros dançavam. Havia mulheres vestidas de bailarinas o lugar era bem colorido, havia alguns quadros pendurados nas paredes o que davam a sensação de ser realmente um grande bar.

Eu me vi diante de um filme antigo, bem antigo.

A fumaça dos charutos e dos cigarros criavam uma densa nuvem em todo o ambiente.

Subimos. Meu coração estava acelerado. Eu me perdi em meus pensamentos.

O que será tudo isso?

Chegamos finalmente à mesa que nos esperava.

A mesa era separada das outras mesas. Ela ficava em um lugar reservado. Parecia preparada para reuniões importantes.

Havia uma porta de madeira e vidro, que permitia-nos ficar reservados.

A mesa era redonda e havia sete lugares.

No centro da mesa, um lindo jarro vermelho enfeitava o ambiente.

Onde nos sentamos quase não se ouvia a balburdia que acontecia no lado de fora do lugar.

Uma jovem entrou e colocou sobre a mesa uma jarra transparente, que me pareceu ser água, uma água bem cristalina.

Eu fiquei observando e tentando imaginar como tudo aquilo era possível. Afinal estávamos no umbral.

Lucas se sentou ao meu lado.

No outro lado da mesa, Maísa.

O silêncio era total. Por alguns minutos nós ficamos calados.

Eu olhava tudo aquilo louco para o assunto começar e eu poder tentar entender o que se passava.

– Eu estou muito feliz em te rever Lucas – disse Maísa.

Meu coração acelerou novamente, eu sabia que existia alguma coisa entre Lucas e Maísa.

Meu palpite foi certeiro. A troca de olhares não me enganava.

– Eu também estou – disse Lucas secamente.

– E você Osmar, está impressionado?

– Na verdade estou muito confuso.

– E o que te confunde?

– Bar, bebidas, música... como assim?

– Lucas não te explicou que tudo o que vocês têm do lado de lá é possível do lado de cá?

– Sim, ele me falou.

– Então qual é a dúvida?

– Desculpe-me Maísa, mas uma coisa é você ouvir falar, outra é quando seus olhos veem.

Lucas me olhou e serenamente me disse:

– Osmar, anote tudo para seus leitores.

– Sim, Lucas, pode deixar. Desculpem-me.

– Pare de pedir desculpas ou perdão, você é nosso convidado – disse Maísa docemente.

– Certo – disse, me calando. Senti que o momento não era oportuno para continuar minhas indagações.

– Então Lucas, como estão todos na colônia?

– Estamos bem, Maísa.

– Como está a Nina, o Daniel e todo mundo?

– Estamos trabalhando bastante.

– Que bom!

– E você Maísa, conseguiu se adaptar a essa região?

– Sim, Virgílio tem me ajudado muito. No começo foi complicado, mas com o passar do tempo eu me adequei e agora estamos todos bem.

– Eu fico feliz que você esteja bem!

A minha curiosidade não esperou, foi quando eu perguntei:

– Vocês se conhecem da colônia?

– Sim – respondeu Maísa.

– Você já viveu lá?

– Sim Osmar, eu era da colônia, mas em determinado momento eu decidi vir para cá.

– Mas você andou para trás?

– Como assim, andou para trás?

– Pelo que sei e tenho conhecimento os espíritos quando chegam a viver em uma colônia é porque já conseguiram um certo grau de adiantamento.

– Eu sou um espírito adiantado. Não muito evoluído, mas bem adiantado.

– Como assim?

– Eu já alcancei parte da minha evolução.

– Então por que você vive nesse lugar sombrio?

– Porque nos lugares sombrios também há a necessidade de espíritos evoluídos. Estamos em todo o Universo, Osmar.

Minha cabeça entrou em parafuso.

Maísa, percebendo que eu me perdi, continuou a me explicar.

– Osmar em todo lugar do universo há a necessidade de amparo, auxílio e amor. Quando eu decidi vir para cá foi para trabalhar e auxiliar àqueles que sofrem aqui.

– Sofrimento? Eu não vi ninguém sofrendo aqui, pelo contrário estão todos felizes, bebendo e se divertindo.

– Parece como na Terra, não é?

– Sim, parece que é uma boate, um *Pub*, onde todos estão se divertindo. Eu não vi nenhuma cara triste por aqui.

– Na verdade esse lugar, assim como todos os lugares que os espíritos habitam, foram plasmados.

– Quem plasmou esse lugar?

– Os líderes.

– Líderes?

– Sim, esse lugar foi plasmado por Virgílio. Parece que esses espíritos que estão aqui estão se divertindo, mas na realidade, usamos esses lugares para conscientizar aqueles que necessitam de uma realidade muito parecida com as realidades terrenas para que possam se compreender como espíritos eternos, e a partir desse ponto, decidirem por seus destinos.

– Quer dizer que esses espíritos que estão aqui bebendo e se divertindo estão tendo uma oportunidade?

– Sim. Alguns espíritos muito presos à matéria precisam desse lugar para se conscientizar que não estão mais encarnados. Isso facilita nosso trabalho.

– Meu Deus!

– Deus dá oportunidades infinitas aos seus filhos, Osmar.

– Eu já fui informado disso, mas não é fácil olhar para isso e compreender.

Lucas entra em nossa conversa:

– Osmar eu já te falei que tudo o que há no plano dos encarnados, há no plano dos desencarnados, lembra?

– Sim, Lucas eu me lembro.

– Há várias maneiras de se conscientizar um espírito. E essa que você está vendo agora, é mais uma.

– Acho que estou começando a entender.

– Osmar, quando um espírito desencarna sem débitos espirituais mas está muito ligado à materialidade terrena como podemos conscientizá-lo das coisas espirituais? – diz Maísa.

– Acho que relembrando-o das coisas terrenas.

– Pronto, você entendeu – disse Lucas.

– Quer dizer que tudo isso que eu estou vendo agora, foi criado como ferramenta de conscientização de que isso não leva a nada?

– Isso. Isso mesmo – disse Maísa.

– É mais fácil para os que trabalham aqui conscientizar os espíritos através das experiências. Tudo nos é permitido para que possamos atingir nossos objetivos. Assim, esse lugar foi plasmado com objetivos evolutivos.

Imagine uma pessoa que vive na Terra, que é boa, que é caridosa, mas não tem Deus no coração. Que nunca teve uma religião. Imagine essa pessoa, que mesmo sem a compreensão da vida eterna e que através do trabalho consegue um patrimônio invejável.

Imagine que ela nunca fez mal a ninguém, que gosta de se divertir, passear, gastar o dinheiro de seu suor com coisas fúteis da vida, é justo que essa pessoa chegue aqui no Umbral, fique sofrendo, e não receba uma experiência que a transformará através do exemplo? Como iríamos convencê-la de que as coisas materiais não são boas para a evolução do espírito, se elas não vivessem essas experiências outra vez? Lembre-se, esses espíritos eram bons, só não sabiam que um dia iriam morrer na carne para renascer no espírito – disse Maísa.

– Quer dizer que as possibilidades de ajuda são infinitas?

– Sim, Ele permite que tudo seja exemplo. As coisas que vocês enfrentam na encarnação são lições para moldar o espírito eterno.

Os dramas, as perdas, o sofrimento são ferramentas que moldam os espíritos. Você sabe disso?

– Sim, por isso sempre digo: não há acasos.

– Se não há acasos por que deveria o espírito após uma boa encarnação sofrer nas regiões umbralinas? Seria justo castigar alguém que nunca pecou, certo de que o pecado não existe? Os erros cometidos sem conhecimento da causa, não são débitos a serem resgatados – disse a jovem.

– Osmar, pecado é ter consciência do ato e praticá-lo... isso é contrário a Lei Maior. Quando você é conscientizado daquilo que não deve fazer e faz, você contraria a Lei Maior e contrariando-a você entra em desacordo com o Universo. E entrando em desacordo com o Universo o sofrimento é ferramenta de resgate. Encare o pecado como algo que você faz conscientemente.

– E o que fazemos inconscientes?

– Isso não é visto como pecado na Lei Maior – disse Lucas.

– Nossa, como somos ignorantes.

– Não, não é ignorância, é falta de informação. O que vocês precisam se conscientizar é que vocês não são devedores para com o Pai. Lembre-se Osmar, não há castigo – disse Maísa.

– É, o Lucas me explicou isso.

– Osmar, registre em seu livro em letras garrafais. "VOCÊS NÃO DEVEM NADA AO PAI", infelizmente vocês foram educados como eternos devedores. Pura mentira. Parem de se achar pequenos. Parem de se vitimizar. Vocês não são pequenos – insiste Maísa.

– Meu Deus, como és bondoso conosco – disse, me conscientizando e concordando com o ensinamento de Maísa e do Lucas.

Devedor? Como assim? Eu sou filho de Deus, Ele é meu Pai, e um pai não castiga, Ele educa... pensei.

— Isso mesmo Osmar, pense assim e compreenderás o Criador. Todos vocês têm que se conscientizar que não há castigo e sim oportunidades. Esse lugar é um lugar de muito sofrimento, porque os espíritos que aqui chegam estão se penalizando e sofrem com esse pensamento. O pensamento é parte da consciência e ela é eterna. E sendo eterna tens que evoluir. Essa é a Lei.

— Osmar, há em todo o Universo ambientes plasmados para receber, amparar e auxiliar todos os espíritos, não importa quem eles foram e o que fizeram em suas vidas evolutivas, aqui colhes o que semeastes, e sendo assim, há milhares de possibilidades evolutivas em todos os lugares. Há regiões de muito sofrimento, há as colônias evolutivas, há cidades educacionais, como já lhe mostramos em outras psicografias. Nosso assunto desse livro são as obsessões, e é delas que iremos falar — disse Lucas.

— Não tenho palavras para os agradecer por esse ensinamento, Maísa e Lucas.

— Nós é que agradecemos a oportunidade de transmitir essas informações. Se todos os cristãos se olhassem como filhos do Criador, se enxergariam como seres cocriadores, e tudo ficaria mais fácil para nós. A encarnação é oportunidade onde se colhe ou se planta, a colheita é certa, não duvide disso... deveis estar sempre atentos àquilo que semeais, pois o plantio de hoje é colheita para as próximas vidas, Osmar.

– Eu já me enxergo assim, tento dar o melhor de mim para todos aqueles que cruzam o meu caminho.

– Que bom, Osmar – disse Maísa.

– Você pode me falar um pouco mais sobre você, Maísa?

– O que você quer saber?

– Quem é Maísa?

– Eu sou um espírito eterno que expiei na carne por vários séculos, até que recebi o convite para viver em uma colônia. Passei longos anos lá, até o dia em que a terra atingiu um lamentável estado psíquico e havia necessidade de mais trabalhadores nas regiões sombrias.

Fui então convidada a vir para cá, e aqui auxiliar os espíritos que precisam de ajuda. Essa é a minha tarefa.

– Você vivia em qual colônia?

– Na colônia das flores.

– Nossa! Ela fica no entorno de Amor e Caridade.

– Foi lá que eu conheci o Lucas.

– Vocês se conhecem de lá?

– Sim – disse Lucas.

– E o que você faz aqui hoje, quais são as suas tarefas?

– Sou coordenadora. Auxilio Virgílio e demais espíritos.

– O que você coordena?

– Eu auxilio Virgílio e outros diretores na organização, encaminhamento e resgate aqui nessa região do Umbral.

– Você também é um obsessor?

– Sim, também sou uma obsessora.

– Mas você não tem aparência de obsessor?

– Obsessores tem aparência?

– Nos livros que li, são terríveis, mal encarados, enfim, espíritos medonhos.

– Isso é fantasia, Osmar. Obsessores são espíritos que viveram, assim como você vive. A aparência não é relevante nos planos espirituais.

– Estou confuso – disse.

– Não fique, ao final dessa psicografia você entenderá o que estamos falando – disse Lucas.

– Está bem! – disse.

O olhar de Lucas já não era o mesmo. Ele parecia mais calmo.

Mas meu coração me dizia que eu tinha que conversar sobre Maísa com o Lucas. Resolvi esperar por outro momento.

Ficamos ali mais algum tempo, depois Lucas me levou de volta para casa.

A minha cabeça já estava doendo.

Como explicar isso no livro?

O que mais teríamos pela frente?

> A vida nos devolve o que oferecemos a ela.
>
> *Osmar Barbosa*

O reencontro

Era manhã de domingo, quando o Lucas novamente me procurou. Vi naquela manhã, a oportunidade de saber mais sobre Maísa, dessa vez pelas palavras de Lucas. Eu estava muito curioso e pensativo, afinal quem era realmente Maísa?

– Bom dia, Osmar!

– Bom dia, Lucas, como você está?

– Eu estou bem, e você?

– Preparado.

– Que bom! Vamos continuar a psicografia?

– Sim, mas antes eu posso lhe fazer algumas perguntas?

– Sim, claro.

– Lucas eu gostaria de saber de você quem é realmente Maísa?

– Você ficou curioso, após nosso encontro com ela?

– Sim, eu percebi que você não ficou muito bem quando a viu.

– Maísa é uma amiga antiga. Nós expiamos na carne juntos no século 14.

– Onde?

– Na França. Nós éramos soldados, auxiliamos a heroína Joana D'Arc.

– Que legal, Lucas. Maísa era mulher?

– Sim, uma das poucas mulheres que se envolveram na guerra dos cem anos.

– E você?

– Eu era tenente da guarda que defendia a liberdade da França. Estávamos lutando para libertar a França do domínio dos ingleses.

– Você se voltou contra seu exército?

– Não, eu e um grupo de soldados que, seguindo ordens de Carlos VII, auxiliamos Joana na batalha de Orleans. Após nove dias de batalha, saímos vitoriosos.

– Foi lá que você conheceu Maísa?

– Sim, foi lá que nos apaixonamos.

– Bem que eu percebi seus olhares. Havia algo a mais naquele dia.

– Osmar, eu desencarnei nessa batalha. Maísa sofreu muito, pois estávamos no início da paixão.

– Eu imagino. Que coisa hein Lucas?

– A vida é cheia de surpresas. Umas agradáveis, outras nem tanto.

– E depois?

– Depois o quê?

– Você a reencontrou?

– Sim, passados alguns anos, ela desencarnou e nos encontramos novamente.

– Você pode me contar sobre esse encontro?

– Sim. Eu sofri muito naquele desencarne. Deixar Joana e Maísa me causou muito sofrimento.

Passados alguns anos, nos encontramos novamente na Colônia das Flores.

– E aí?

– Aí descobrimos que a paixão que nos envolveu naquela encarnação, nada mais era do que uma paixão de dois jovens que lutavam pela liberdade de um povo. Ideais, nada mais que isso.

Nos tornamos amigos. E somos amigos até hoje.

– Mas eu percebi que você não ficou bem quando à encontrou?

– Na verdade eu fiquei muito triste quando Maísa decidiu deixar a colônia e ir trabalhar no Umbral, afinal nutro por ela um amor de amigos. Nossos sentimentos são arquivos vivos que nos seguem por toda a eternidade, Osmar.

– Então aquele olhar era de tristeza?

– Sim, nada mais que isso. Até hoje eu não consigo entender por que ela fez isso. Sei que as escolhas nos definem, sei também que o trabalho que ela faz naquela região é muito importante.

Maísa sempre foi assim – definiu o mentor.

– Assim como Lucas?

– Gosta de desafios. Ela jamais seria capaz de estacionar em um lugar com poucas tarefas. Ela é uma guerreira, uma mulher de fibra e está sempre preparada para desafios dessa ordem. O Umbral é um lugar denso, é muito difícil trabalhar nessa região. O espírito para permanecer no Umbral precisa ser forte, e ter coragem.

– Por que Lucas?

– Entrar e sair do Umbral é um processo energético desgastante. Toda vez que você entra no Umbral, tem que estar preparado para as perdas fluídicas, e repô-las, não é fácil.

– Eu reparei isso nas psicografias da Nina.

– Lembra-se quando estivemos no Umbral com a caravana, no livro Cinco Dias no Umbral?

– Sim, lembro-me bem.

– Pois, assim é o Umbral, lugar de muito desgaste.

– Nossa Lucas, como é bom saber dessas histórias?

– Que histórias?

– Essas que vocês nos contam nas psicografias.

– Sobre o nosso passado?

– Sim, sobre tudo o que vocês já viveram para estarem onde estão.

– Você também tem um legado, Osmar.

– Eu?

– Sim, você e todos os que estão lendo esse livro, estão nesse orbe há milhares de anos. E tem sim, todos têm muitas histórias para contar.

– Eu não tinha pensado nisso.

– Ora, Osmar, se você é um espírito como eu, que já viveu centenas de vidas terrenas, certamente vocês têm muita coisa para contar.

– Que legal, você pode me contar alguma coisa das minhas vidas?

– Claro que não. Suas vidas estão no seu arquivo espiritual, e só a você pertence. E não é tão simples acessá-lo.

– Desculpe-me a curiosidade. Eu pensei que vocês conseguissem acessar minhas vidas com facilidade.

– Engano seu, Osmar. Os espíritos não têm permissão para acessar outros arquivos, que não sejam os seus. Para que um espírito possa acessar seu arquivo pessoal há de haver uma sintonia espiritual. Primeiramente é necessário que você permita que o espírito que acessa tenha permissões exclusivas para isso.

– Mas, e as consultas espirituais, como elas funcionam, como um espírito desencarnado pode ver uma coisa sobre mim? Como um mentor espiritual pode me orientar em minha caminhada?

– Para que isso ocorra, é necessário que você permita, como já disse. É necessário que você esteja em sintonia com ele, e além de permitir e estar em sintonia, é necessário que haja uma expansão de seu campo vibracional, uma simbiose espiritual. Assim, nós conseguimos ver algumas coisas, passar instruções e auxiliar nossos assistidos. Mas tem que haver uma íntima sintonia, sem ela não acessamos nada.

Esse momento que estamos vivendo é uma perfeita sintonia, você se conecta a nós e nos permite passar as informações. Assim também se dá quando um assistido passa por uma consulta espiritual.

Sintonia e permissão, Osmar.

– Eu e minha curiosidade, Lucas! Fico pensando, quem fui eu em outras vidas? O que fiz? Onde vivi e por aí vai.

– Todos vocês são muito curiosos. Mas tenha calma, um dia todo o seu arquivo de memórias lhe será lembrado. Aí você poderá saber quem você é realmente. E através dessas lembranças reconhecer suas falhas e refazer o caminho.

– Vou esperar, Lucas. Realmente temos que ter a compreensão de que tudo tem o tempo certo para acontecer.

– Espere. Você e todos os seus leitores ficarão muito surpresos quando deixarem a carne. Há muitas coisas a serem reveladas, e elas serão.

– Não vejo a hora.

– Não tenha pressa, dê tempo ao tempo. O tempo é o revelador de todas as coisas. Nada fica oculto, muito menos suas vidas e suas oportunidades.

– Gratidão, Lucas.

– Vamos ao Umbral?

– Sim, estou pronto.

Me concentrei, permiti, e segui meu amigo Lucas.

Chegamos novamente à caverna. E lá estava nosso personagem, Virgílio.

Ele estava sentado, e a seu lado um rapaz.

– Olá Virgílio – disse Lucas.

– Olá, senhor – eu disse.

– Sentem-se rapazes – ordenou Virgílio.

Nos sentamos nas mesmas cadeiras.

– Querem algo?

– Não, obrigado – disse Lucas.

– E você rapaz, quer alguma coisa?

– Não senhor, muito obrigado.

– Esse aqui ao meu lado é o Francisco, ele é um dos meus soldados. Ele vai acompanhá-los na próxima viagem. Ele vai lhes mostrar como vive Jouber. Anotem tudo, ao final teremos uma longa conversa sobre todos esses espíritos.

– Seguiremos sua orientação – disse Lucas.

Francisco é alto, forte e tem as mesmas vestimentas de Ricardo. Cabelos longos jogados sobre os ombros de traços finos e elegante. Ele usa um cavanhaque e tem olhos claros.

– Vamos senhores – disse o rapaz.

– Sim – dissemos.

Nos levantamos e voltamos àquela trilha que nos afasta da caverna.

Francisco é falante, e logo começamos a conversar.

– Vocês estão escrevendo sobre nós?

– Sim – disse-lhe.

– Eu não conheço você, Francisco – disse Lucas.

– Eu fui recrutado aqui mesmo, no Umbral.

– Quem te recrutou?

– Maísa. Vocês a conhecem?

– Sim – disse. Eu a conheci dias atrás – disse-lhe.

Lucas ficou calado.

– Ela é nossa coordenadora.

– Ela nos falou disso.

– Você está a muito tempo aqui? – perguntei.

– Sim, eu vim para cá após uma encarnação muito complicada.

– Você pode nos dizer?

– Sim. Eu era uma pessoa muito ruim. Fiz muita coisa errada e fui atraído para o Umbral devido aos meus pensamentos e às minhas atitudes, na verdade a minha vida era um umbral. Eu não valorizei as oportunidades, e isso me causou muito sofrimento.

– Você viveu onde?

– Eu vivia em Luxemburgo. Fiz muitas coisas erradas, como disse. Quando fui assassinado, acordei aqui no Umbral.

Foram muitos anos de sofrimento, até que fui procurado por Maísa, que me ofereceu essa oportunidade. Abracei-a imediatamente.

– Há quantos anos você está aqui?

– Uns cento e vinte anos. Não sei bem certo, não contamos tempo aqui.

– Compreendo. E o que você faz agora?

– Eu auxilio nas obsessões.

– Está difícil para mim entender essas obsessões, Francisco.

– Você vai entender tudo, tenha calma que o chefe vai lhe explicar direitinho nosso trabalho.

– Estou ansioso para saber.

– Vamos visitar agora um espírito que eu estou acompanhando. Você poderá fazer suas perguntas, e ao final compreenderás tudo o que fazemos.

– Obrigado, Francisco.

– Vamos seguindo.

– Vamos – disse.

Caminhamos durante um bom tempo. E o Lucas permanecia em silêncio.

O umbral é um lugar que sinceramente eu não desejo a ninguém.

Frio, lamacento e triste.

Eu não vi nada que seja bom naquele lugar.

> Tudo tem seu tempo... e nada está ao acaso.

Lucas

Jouber

Chegamos a uma pequena cidade, entramos pela avenida principal.

Havia várias lojas, comércios, e algumas casas.

Ao final dessa grande avenida, demos de frente com um grande prédio de muros altos e guaritas de segurança.

– Que lugar é esse, Francisco?

– Uma prisão. É aqui que fico a maior parte de meu tempo.

– Seu obsidiado está aí?

– Sim. Ele está aqui há mais de quinze anos.

– Deve ter feito algo horrível para estar nesse lugar.

Eu percebi que era uma prisão antiga, bem velha mesmo.

– Vamos entrar e você poderá ver tudo pessoalmente.

Caminhamos e logo chegamos à um grande corredor onde havia algumas celas.

A cela que chegamos para visitar é a de número 18.

Ao entrarmos olhei para um homem velho, ele estava deitado em uma cama feita de placas de cimento.

No canto havia uma pia e um buraco onde ele fazia as suas necessidades.

Não havia janela. O lugar era frio e úmido.

Havia várias frases escritas na parede. Algumas motivacionais e outras um sincero pedido de perdão.

Uma pequena corda, presa por dois pregos na parede, sustentava algumas peças de roupas, que logo percebi serem de Jouber.

Na outra parede, eu li alguns versículos bíblicos e aquilo me intrigou.

– Entrem – disse Francisco.

Entramos e ficamos de pé logo perto da grade da minúscula cela.

Francisco se sentou nos pés da cama, sua mão tocou o corpo de Jouber que se encolheu como se estivesse sentindo muito frio.

Eu vi ali que os obsessores, quando tocam no obsidiado, ele reage.

Jouber se levantou, pegou um cobertor muito sujo e cobriu todo o corpo, algo estava lhe perturbando.

– O que você está fazendo, Francisco?

– Fazendo com que ele sinta que eu cheguei.

– Mas por que você faz isso?

– Eu sou seu obsessor. Tenho que mostrar a ele que estou aqui.

– Por que você está o está obsidiando?

– Lucas eu posso levar o seu escritor a um lugar? Eu preciso mostrar para o Osmar quem na verdade é esse prisioneiro.

– Se eu puder ir com ele, sim.

– Então, vamos – disse Francisco.

– Naquele momento eu senti muito medo, e olha que não sou de sentir medo nas psicografias, afinal estou desdobrado.

Francisco se levantou e com um gesto com os braços fomos levados novamente até o orfanato.

Chegamos e o lugar estava cheio de pessoas. Havia uma festa, ou algo que eu ainda não estava entendo.

Algumas pessoas importantes estavam presentes, eu pude perceber pela roupa luxuosa que vestiam. Havia mais de uma dúzia de mulheres elegantes, todas muito bem vestidas. Parecia que havia uma disputa por chapéus com penas de aves coloridas. Os homens vestiam ternos finos e cartolas na cabeça.

Algumas autoridades também estavam ali, eu percebi pela bajulação em que elas estavam envolvidas.

Elas eram servidas com louça fina.

– O que é isso Francisco?

– Tarde de chá.

– Tarde de chá?

– Sim, uma vez por mês o Monsenhor e as cuidadoras organizam esse evento para angariar recursos para manter o orfanato.

– Observe Osmar – disse Lucas quebrando seu silêncio.

Todos riam, as crianças estavam todas arrumadas, estavam muito bem vestidas, os meninos com seus cabelos engomados e as meninas todas de tranças muito bem feitas.

Lembre-me da morte de Jasmine. Ela não estava entre as crianças.

Meu coração apertou. Como esses falsos podem fazer isso? Será que essas pessoas bem arrumadas sabem que uma dessas cuidadoras matou covardemente uma menina?

Todos aguardam a entrada da diretora do lugar.

Uma sineta é tocada por Maria – eu a reconheci.

Toda vestida de branco, Ana entrou no salão com um pequeno sino às mãos. E após tocá-lo todos procuraram seus lugares e se sentaram.

Eu, Lucas e Francisco ficamos muito próximos de todos.

– Senhoras e senhores, muito boa tarde! – disse Ana.

Todos agradeceram com um sinal de cabeça.

– Por gentileza sentem-se, nosso venerável instrutor irá vos falar dentro de instantes.

Todos se acomodam, os poucos que estavam de pé se afastaram encostando-se nas paredes revestidas de lindas cortinas brancas.

O silêncio só é quebrado quando um coral de seis idosos canta uma canção cristã.

Meu coração estava abalado. Logo percebi que algo muito grave acontecia naquele lugar.

Finalmente Jouber adentra a grande sala.

Eu levei um grande susto quando vi aquele homem todo paramentado. Suas roupas eram finas e elegantes.

Jouber chegou vestindo uma batina toda branca e no pescoço dependurado um lindo crucifixo de ouro com pedras preciosas.

Todos ficaram de pé para receber a benção daquele homem.

Lembre-me do caso que ele mantinha escondido com Ana e novamente do espancamento que sofreu Jasmine.

Eu preferi me calar e esperar até que Lucas ou Francisco dissessem algo.

Jouber se colocou de pé muito próximo às mesas e começou o seu discurso.

Ele falava da necessidade de amparar aquelas pobres crianças que sofriam abandonadas pelos seus pais.

Pedia dinheiro e donativos para que ele e suas auxiliares pudessem manter o orfanato Santa Terezinha.

Após mais de meia hora discursando, finalmente Maria passa entre as mesas segurando uma sacola feita de veludo preto, onde as pessoas depositavam suas doações.

Eu vi pessoas colocando dinheiro, joias, relógios e cheques. Altas quantias foram doadas.

Meu Deus! – pensei.

Coitada dessas pessoas que estão doando dinheiro de boa-fé. Se eles soubessem o que acontece aqui, certamente não seriam tão generosas.

Francisco nos convida a sair dali.

– Venham, agora temos que esperar o chá da tarde terminar.

Saímos e nos sentamos nos confortáveis sofás que estavam na varanda de frente do orfanato.

Lucas permanecia calado.

– Então Osmar, está anotando tudo o que vê?

– Sim, Francisco, e confesso estou impressionado.

– Impressionado com o quê?

– Eu já estive aqui com o Lucas e com o Ricardo.

– Há sim, o Ricardo está cuidando da Ana.

– Sim, ele nos trouxe aqui no dia da morte de Jasmine.

– Ele te contou que mais crianças foram mortas aqui?

– Sim, ele me falou. Um total de quatro crianças.

– Isso mesmo. Esse grupo que você viu agora foram os responsáveis pelas mortes.

– Estamos na mesma época?

– Sim. Meses depois da morte da menina.

– Por quanto tempo existiu esse orfanato?

– Muito tempo. Eu vou lhes mostrar algo que fez ruir as paredes dessa instituição. Foi depois desse dia que a desgraça se abateu sobre todos os responsáveis desse Orfanato.

– Eu poderei ver?

– Sim, você está aqui para isso. Vamos só esperar você se ambientar espiritualmente com essa dimensão.

– Estamos em outra dimensão?

– Sim, para que eu pudesse te mostrar o que tenho, eu precisei te trazer para uma outra dimensão. Como esse lugar não existe mais, tivemos que prepará-lo para te mostrar tudo o que aconteceu aqui.

– Ok. O que tenho que fazer?

– Esperar – disse Lucas.

– Eu espero.

Passaram-se algumas horas, até que todos os que estavam no evento foram embora.

A noite chegou trazendo consigo uma chuva forte.

O frio a acompanhou.

Ventos fortes sopravam,e assovios vinham das árvores.

A escuridão no lado de fora era total.

Dentro do orfanato, alguns lampiões e algumas lamparinas clareavam o lugar.

Estava tudo trancado. As cuidadoras já haviam providenciado a limpeza e arrumação do lugar.

Todos estavam recolhidos.

Foi quando Francisco nos convidou a entrar.

– Venham senhores – disse ele.

Entramos pela porta da frente que Francisco abriu com muita facilidade.

Não me perguntem como ele fez aquilo, pois nem eu entendi.

Entramos e ficamos de pé no corredor que dá acesso a dois grandes quartos na parte dos fundos, após a grande sala onde aconteceu o evento.

Foi quando eu vi Ana chegando trazendo consigo três meninas sonolentas.

Elas foram arrancadas da cama que dormiam.

– Osmar tenha cuidado com as palavras que você vai usar para relatar o que você vai ver agora – disse Lucas.

– Pode deixar.

Ana entrou com as crianças.

Esperamos por alguns minutos e finalmente Francisco nos convidou a entrar o quarto.

Eu tenho sessenta anos de encarnado. Fiquei órfão aos 14 anos. Passei por muitos momentos difíceis da minha vida. Vivi na rua, passei fome, quase não tinha roupa para vestir, enfim, sofri muito para chegar onde estou. Confesso que nunca imaginaria ver o que vi naquela noite.

Ao entrar no quarto meus olhos viram um homem deitado na cama a seu lado Ana também nua, e três meninas despidas. Era Jouber.

O infeliz acariciava as crianças e fazia sexo com a maldita cuidadora.

Eu fiquei chocado com as coisas que vi acontecerem ali na minha frente.

Confesso que não tenho coragem de transformá-las em linhas nesse livro.

Francisco percebendo minha indignação nos convidou a voltarmos a varanda.

Eu estava muito triste com tudo o que presenciei naquele lugar.

Que lugar maldito – pensava.

Meu Deus! Essa foi a minha expressão, naquele momento.

Tentei me acalmar.

Lucas se sentou ao meu lado.

– Osmar, fique calmo.

– Calmo Lucas, como ficar calmo vendo tudo isso? Infelizes, isso é que esse homem e suas comandadas são. Como podem fazer isso a essas pobres crianças?

– Tenha calma, logo você irá ver como tudo isso acabou.

– Como acabou, Francisco?

– Espere e verás.

> Sofres no corpo as mazelas do espírito.

Francisco

A vingança

Naquele momento eu percebi que um homem estava escondido na parte lateral do orfanato onde havia algumas janelas que eram daquele quarto.

O homem era negro e de baixíssima estatura.

Ele estava indignado com tudo o que estava acontecendo ali. Eu percebi que ele estava com muito ódio.

Ele, assim como nós presenciou a lamentável cena.

– Olhe Osmar.

– Quem é esse homem?

– É ele o responsável pelos jardins e pelos cavalos que servem a Jouber. É também seu cocheiro. Trabalha aqui no orfanato.

– Qual o nome dele?

– Sebastião. Mas conhecido como Tião.

– E ele faz aqui observando tudo isso?

– Olhe, e verás.

Algumas horas se passaram. A chuva agora era apenas uma garoa. O frio era intenso no lugar.

O tal Sebastião estava com uma capa de couro que lhe cobria todo o corpo. Ele usava longas botas que quase chegavam ao joelho.

Na mão ele tinha uma enorme faca.

O homem se afastou e foi até as cocheiras.

Nós o seguimos.

Ele chegou no lugar, retirou a capa e se sentou sobre um monte de feno. Seu rosto estava todo molhado, não sei se era da chuva ou suor.

Em suas mãos estava a faca, e uma pedra que ele insistia em amolar o objeto lentamente.

No seu rosto eu pude ver muito ódio. Ele trincava os dentes.

Chegamos e nos sentamos do outro lado. Bem próximos a ele.

Lucas e Francisco permaneciam calados.

Nessa hora eu me acalmei, não sei explicar, mas fiquei calmo.

Aquelas imagens não saiam de minha mente, mas meu coração estava calmo.

As horas se passaram até que Sebastião se levantou, colocou novamente a capa e se dirigiu ao orfanato.

Nós o seguimos novamente.

Sebastião percebeu que todos estavam dormindo.

Ele entrou pela porta dos fundos onde fica a cozinha. Retirou as botas e começou a caminhar em direção ao quarto de Jouber.

Nós entramos atrás dele.

Em passos lentos ele se dirigiu até o quarto pelo extenso corredor.

A escuridão só era quebrada por uma pequena lamparina que estava sobre uma pequena escrivaninha no quarto de Jouber.

Lentamente Sebastião se aproximou e em um golpe certeiro desferiu a primeira facada no peito do homem.

Foram muitas facadas.

Sebastião colocou a sua mão esquerda sobre a boca de Jouber que teve seu grito de pavor abafado.

A morte foi cruel.

Após constatar que Jouber estava morto em sua poça de sangue, Sebastião pegou todo o dinheiro arrecadado em uma gaveta e deixou o lugar. Seguimos ele até o lado de fora do orfanato.

Ele já havia preparado o melhor cavalo e sua fuga foi fácil. Lavou as suas mãos sujas de sangue, subiu em um cavalo e sumiu em meio à garoa fina e fria.

Ninguém no orfanato ouviu ou assistiu o crime.

Naquele momento voltamos ao quarto, eu, Lucas e Francisco.

O ambiente foi invadido por uma névoa negra eu pude ver quando quatro homens vestidos de preto, pegaram o espírito de Jouber e o tiraram dali.

Voltamos à varanda e nos sentamos nos sofás. Eu estava apavorado com tudo aquilo. Havia em meu coração mistos sentimentos.

– Está melhor agora, Osmar?

– Em que sentido?

– Estás menos impressionado com o que você viu?

– As duas cenas me impressionaram muito, Francisco, eu não gostaria de ter visto nenhuma delas. Eu acho que uma coisa dessas não se paga com a morte.

– Perdoe-nos, mas é necessário que você veja e relate tudo para que possas compreender nosso trabalho.

– Sim, não se preocupe – disse.

– E agora?

– E agora o quê?

– Para onde vamos?

– Vamos voltar ao presídio? – disse Francisco.

– Sim, vamos.

Em poucos segundos chegamos ao lugar.

Logo percebi que aquele homem que estava ali sofrendo, era Jouber. Ele estava sentado na cama, eu pude ver as suas costelas.

Magro, barbudo e acabado, eu vi aquele homem ali pagando pelos seus pecados.

– Eu posso te perguntar uma coisa Francisco?

– Sim.

– Se Jouber foi assassinado, como pode ele estar aqui preso?

– Estamos na vida seguinte dele.

– Então essa prisão está na vida dele, depois daquele dia que ele foi assassinado?

– Sim, logo que chegou à vida espiritual ele pediu uma outra oportunidade. Essa lhe foi concedida.

– Mas, o que será que ele fez agora para estar preso?

– Quer mesmo ver?

– Sim, precisamos saber o que ele aprontou dessa vez?

– Venha, vamos voltar à caverna – disse Francisco, pondo-se a caminhar em direção a porta.

Nos levantamos, e voltamos à caverna no Umbral.

Não havia ninguém lá.

Francisco então pediu para que aguardássemos a chegada de Virgílio. Ele precisaria autorizar que eu fosse levado àquela vida de Jouber.

Passados alguns minutos, Virgílio apareceu e sentou-se em seu costumeiro lugar.

Eu e o Lucas já estávamos sentados esperando pelo nobre espírito.

Francisco estava de pé, ao lado do trono, esperando por Virgílio.

Ele chegou, nos cumprimentou e se sentou rapidamente.

– O que tens para contar agora Francisco?

– Eu preciso de sua autorização para levá-los a vida atual de Jouber.

– Leve-os, tens minha permissão.

Nesse momento Maísa chega ao lugar.

Percebi no olhar de Lucas que ele ficou feliz com a presença da moça.

– Olá, senhores – disse a linda jovem ao chegar.

Maísa passa muito perto de nós e cumprimenta Lucas com um aperto de mão.

– Como vai Lucas?

– Eu estou bem, e você?

– Estou, ótima.

Ela então senta-se em uma cadeira muito próxima a de Virgílio.

O nobre obsessor se ajeita na cadeira e nos olha com seriedade.

– Lucas, você ainda não esqueceu Maísa?

– Como assim, não esqueci, Virgílio?

– Maísa me contou sobre o passado de vocês.

– Não tem como esquecer o que vivemos juntos na França – disse Lucas.

– Realmente você e Maísa foram muito importantes para a vitória de Joana.

– Estávamos preparados e os nove dias foram suficientes para o que aconteceu.

– Pena você ter desencarnado naquele dia, Lucas.

– Estava em meu destino que seria assim.

– Eu admiro muito o sentimento que Maísa e você nutrem um pelo outro. Sei que não é amor, sei também que vocês viveram uma grande paixão. Mas isso é coisa do passado. Deixemos o passado onde está.

– Sim, o que sinto por Maísa na verdade é uma grande admiração pelo que ela é e pelo que faz por todos.

– Foi sem dúvidas a melhor escolha que fiz, quando a convidei para trabalhar ao meu lado.

– Você é um homem de sorte, Virgílio – disse Lucas.

– Obrigado – disse Virgílio.

Maísa levanta-se e aproxima-se de nós.

Lucas se põe de pé.

Eles se abraçam como se precisassem daquele abraço para selar a saudade.

Foi um abraço longo, assistido por todos que estavam ali.

– Você é muito importante para mim Lucas, saiba que jamais esquecerei o que você fez naquele dia.

– Eu faria tudo novamente, Maísa.

Intrometido eu perguntei:

– O que você fez, Lucas?

– Essa é uma longa história, Osmar, depois eu te conto.

Maísa sorriu e abraçou Lucas novamente.

Seu sorriso encantou todos os que estavam presentes.

Eles se afastaram e Francisco nos convidou a continuar.

Virgílio olhava tudo serenamente.

– Vamos senhores, vamos à vida de Jouber?

– Sim. Disse Lucas se levantando e me puxando pelo braço.

– Venha, Osmar, vamos...

Saímos da caverna, havia um traço diferente no rosto de Lucas, eu percebi que ele estava melhor, mais aliviado, mais feliz. Mas o que será que aconteceu naquele fatídico dia? Por que aquele abraço? Eu precisava entender por que o Lucas reagia sempre a presença de Maísa.

> "A encarnação é como uma roupa nova, precisamos ter cuidado com ela."
>
> *Osmar Barbosa*

A escolha

Chegamos novamente ao presídio.

Era noite. Ao entrarmos na cela encontramos Jouber com a cabeça muito perto do buraco onde se faz as necessidades, ele estava vomitando.

Havia três espíritos horríveis ao lado dele. Eles riam e se divertiam com o mal estar de Jouber.

Ao perceberem a presença de Francisco esses espíritos saíram rapidamente da cela.

Francisco se aproxima e impõe as suas mãos sobre a cabeça do magro e pobre homem, e após alguns minutos, Jouber melhora e se deita na fria cama da cela.

Francisco se senta novamente ao lado de Jouber.

A cela tem uma lâmpada que logo que chegamos foi apagada pelos guardas do lugar.

A escuridão era total.

Jouber, tentava dormir, eu percebi que ele tinha muita dificuldade de pegar no sono.

Esperei pelo momento certo para perguntar sobre aqueles obsessores que estavam aterrorizando Jouber.

Lucas se sentou ao meu lado. Nos sentamos no chão.

Jouber respirava ofegantemente. Parecia que ele não estava bem.

Algo estava errado.

Esperamos por alguns minutos até que Jouber conseguiu pegar no sono.

Francisco me olhou como se esperasse por minhas infinitas perguntas.

– O que queres saber, Osmar?

– Quem eram aqueles espíritos que estavam aqui perturbando o Jouber?

– Obsessores.

– Obsessores, mas você não é o obsessor de Jouber?

– Eu sou um obsessor, meu trabalho é cuidar do Jouber.

– Cuidar ou Obsidiar?

– Osmar, você viu aqueles três espíritos que estavam aqui e provocaram o mal estar de Jouber?

– Eu vi muito rapidamente, pois quando chegamos eles saíram em disparada.

– Eu vou te mostrar essa vida de Jouber, depois iremos conversar e você poderá entender sobre esses obsessores que estavam aqui.

– Certo – disse.

Lucas permanecia ao meu lado calado.

– Feche os seus olhos Osmar.

Imediatamente fechei os meus olhos e comecei a ver em uma grande tela a vida de Jouber.

Chegamos em uma casa bem humilde. Não havia muitos móveis, o fogão era a lenha e as paredes de barro.

No lado de fora, algumas hortaliças plantadas.

Uma roça de milho e uma plantação de subsistência.

Havia uma mulher que estava dormindo, e ao seu lado uma menina de uns oito anos.

No outro cômodo, um homem e um menino.

Todos dormiam.

Na cena seguinte eu fui levado à casa vizinha, e lá estava Jouber dormindo.

Era na verdade um pequeno barraco, também feito de barro. No lugar só havia uma cama e um fogão a lenha, uma pequena cadeira e um sofá muito velho, na verdade todo rasgado.

Algumas roupas estavam estendidas em um varal na entrada do barraco.

Era noite de lua cheia. Eu consegui perceber, pois era a única luz do lugar.

Um homem, negro de estatura mediana, entra na casa onde dormiam aquela família, e sem que ninguém percebesse ele pega a menina no colo e sai do lugar.

A menina se chamava Clara.

O dia nasce.

Desesperados os pais de Clara começam a procurar pela menina.

Jouber é acordado pelos vizinho que lhe questiona sobre o paradeiro de Clara.

Fortes pancadas na porta do humilde barraco acordam Jouber.

Ele se levanta rapidamente e abre a porta.

– Onde está a minha filha? – diz Noêmia, a mãe de Clara.

– Sua filha, como assim? – diz Jouber ainda acordando.

– Onde está a minha filha, seu desgraçado?

– A Clarinha?

– Clarinha? Como assim Clarinha?

– Sua filha.

Diogo chega e agride fortemente Jouber.

Tonto devido ao soco que levou, Jouber cai ao solo.

Outros homens começam a espancá-lo.

A confusão é grande.

Jouber tenta se defender da agressão.

Seu rosto está lavado de sangue.

Por sorte, a polícia chega ao lugar.

Imediatamente os policiais fazem um cerco ao barraco e Jouber é salvo.

Algemado ele é colocado na viatura policial e levado para a delegacia.

Interrogado, ele nega qualquer participação no sumiço de Clara.

Horas depois o corpo da menina é encontrado em uma mata atrás do barraco em que Jouber mora.

Todos querem a morte do estuprador.

Jouber continua preso.

Sem condições de pagar um advogado ele é condenado, já que havia vestígios de que a menina Clara estivera em seu barraco naquele dia.

Abatido e triste, Jouber é condenado a 30 anos de prisão.

– Meu Deus, condenaram um inocente – disse assim que a tela se apagou.

– Jouber, agora sofre sem ter nenhuma culpa no ocorrido, Osmar – disse Francisco.

– E o que vai ser dele?

– Ele vai morrer aqui mesmo.

– Morrer?

– Sim, daqui a alguns anos ficará muito doente e morrerá.

– Mas...

Nesse momento Lucas me interrompeu.

– Osmar, tenha calma, tudo lhe será explicado no momento oportuno.

– Está bem, Lucas.

Olhei para aquele pobre homem, jogado sobre uma cama fria, doente e sofrendo.

OBSESSOR

Eu fiquei com muita pena de Jouber naquele momento.

Será que ele está pagando por tudo aquilo que fez no orfanato?

Será que Deus está castigando Jouber?

Meus pensamentos variavam, pois eu tentava entender o que realmente estava acontecendo ali.

– Venha Osmar, vamos voltar a caverna – disse Francisco.

– Sim, vamos.

Olhei para Jouber e fiz uma prece íntima para ele.

Saímos do presídio e logo chegamos à caverna. E lá estavam Virgílio, Maísa, Ricardo e um outro espírito que me foi apresentado naquele momento.

Era uma jovem de nome Cimara.

Loira de olhos claros, alta e vestida com uma túnica branca que lhe cobria todo o corpo.

Nos cabelos tranças enfeitadas com pequenas pedras coloridas.

Seu semblante era de um anjo, loiro de olhos azuis.

Eu fiquei muito impressionado com a beleza de Cimara.

Ela aparentava uns vinte e cinco anos, não mais que isso.

Logo que chegamos e nos sentamos eu fui apresentado a ela.

Lucas sorriu quando viu a presença de Cimara, eu percebi que eles já se conheciam.

– Sejam bem-vindos, Osmar e Lucas – disse Virgílio.

– Obrigado, Virgílio – disse.

– Querem alguma coisa?

– Não, obrigado – disse Lucas.

– Hoje temos uma convidada muito especial.

– Eu conheço a Cimara.

– Eu sei, Lucas, eu sei.

– É muito bom te ver por aqui Cimara – disse Lucas.

– Eu é que agradeço essa oportunidade a todos vocês – disse a meiga menina.

– Esse é o Osmar, nosso escritor – disse Maísa se dirigindo a Cimara.

– Seja bem-vindo Osmar.

– Obrigado – eu disse encantado com a luz que ela irradiava a todos nós.

Eu percebi que Cimara era um espírito muito evoluído.

Havia algo inexplicável naquela doce menina.

– Cimara, eu sugiro que comecemos explicando ao Osmar quem é você. Eu sei que ele vai te encher de perguntas pois precisa dessas informações para colocar em seu livro – disse Maísa.

– Sem problemas, podemos começar assim.

Cimara se senta em uma cadeira confortável que foi colocada ao lado direito de Virgílio, no lado esquerdo estava sentada Maísa.

Ricardo e Francisco estavam ao nosso lado, também sentados confortavelmente.

Logo imaginei que teríamos uma longa conversa.

Foi Cimara quem começou a falar.

– Osmar, eu me chamo Cimara, vivo na Colônia das flores e auxilio Maísa e Virgílio na difícil tarefa que eles realizam aqui no Umbral.

Tenho vinte e seis anos. Encarnei muitas vezes no Brasil e em outros países, principalmente na Europa. Hoje não encarno mais.

Lutei muito pela minha evolução e graças a Deus e as minhas transformações, hoje dirijo um setor muito importante na colônia em que vivo.

Todas as colônias estão alinhadas ao Virgílio. Nosso nobre amigo, realiza um trabalho muito importante dentro dos processos evolutivos que os espíritos escolhem passar para depurar as mazelas contraídas nas encarnações, e assim ascenderem a planos maiores.

Como já lhe informaram, nada está ao acaso. Na verdade, tudo está em conformidade com o desejo da Criação.

Hoje eu vim aqui a convite de Virgílio para lhe esclarecer alguns fatos, aqueles que você presenciou como exemplo, e a partir dessas experiências podermos lhe falar mais sobre a obsessão.

Sobre os processos obsessivos e como tudo é organizado para que tudo se cumpra.

– Eu me sinto lisonjeado por essa oportunidade. Obrigado, Cimara.

– Nós é que agradecemos por sua disponibilidade em levar essas informações.

– Obrigado.

– Podemos começar?

– Sim, Virgílio, vamos começar – disse Lucas.

Eu me preparei para ouvir atenciosamente aqueles ensinamentos.

Meu coração estava sereno.

E meu espírito muito feliz com tudo aquilo.

Uma outra jovem chega ao lugar trazendo uma jarra em uma bandeja. O líquido era transparente como água.

Algumas taças brancas estavam em volta da jarra.

Todos se serviram e começamos a conversar.

Lucas estava ao meu lado. Calmo e sereno.

Ricardo sentado à esquerda e Francisco ao seu lado.

O que esperar daquele encontro?

Quais seriam as informações que me seriam passadas?

Minha curiosidade só aumentava, eu estava ansioso para saber o que eles iriam me revelar.

> *Há muitos mistérios ainda incompreensíveis para nós encarnados.*

Osmar Barbosa

A Obsessão

Finalmente Cimara começa a falar:

– Osmar, como você e todos os encarnados sabem, existem muitos tipos de obsessão.

E vou explicar algumas delas, seus motivos e como são tratadas aqui na vida espiritual. Pode ser?

– Sim, claro que sim!

– Embora alguns afirmem que a obsessão é uma enfermidade psíquica, você poderá acompanhar pessoalmente alguns motivos para que um espírito obsidie outro espírito.

Muitas vezes a obsessão caracteriza-se pela subordinação de uma mente que assimila sugestões de outra, capazes de retirar-lhe a razão e a vontade.

Essa é a forma mais comum na obsessão.

– O Lucas me explicou sobre sintonia.

– Isso, para que tudo aconteça tem de haver uma permissão, uma sintonia, seja ela benéfica ou maléfica.

– Compreendo, Cimara.

– Mas existem outras formas, e falaremos também sobre elas.

– Sou todo ouvidos.

– Osmar, há de se observar que espíritos bons jamais praticam a obsessão maléfica. Quando compreendemos o que somos e quais são os propósitos do Criador para com as criaturas, perdoamos nossos agressores e seguimos em frente.

– Entendi!

– Mas há aqueles que não conseguem perdoar. Esses sofrem igualmente, obsidiando àquele que lhe fez algo grave, ou não, pois o processo obsessivo se dá através da sintonia do obsessor com seu obsidiado. Como já lhe foi explicado pelo Lucas.

Eles precisam estar na mesma sintonia, compreende?

– Sim, perfeitamente.

– Então, vamos em frente – disse Cimara.

– Eu vou citar para você algumas das causas da obsessão, pode ser?

– Sim, Cimara, por favor!

– As causas da obsessão variam de acordo com o caráter do espírito. Às vezes é uma vingança que ele exerce sobre a pessoa que o magoou nesta vida ou em existências anteriores. O que todos precisam entender é que até a obsessão precisa ser supervisionada. Logo verás o que digo...

– Muitas vezes, é o simples desejo de fazer o mal. Ou alguém que se sentiu ferido, e assim deseja ferir também, tomando para si o julgo de que aquele que com o ferro fere, com o ferro deve ser ferido.

– Eu compreendo.

– É muito comum Osmar, a obsessão de encarnado para encarnado, e sobre esses nós não temos domínio e muito menos permissão para interferir, afinal o livre-arbítrio está em jogo.

– Coisas da Terra são da Terra, é isso?

– Sim, o que fazes durante a encarnação conscientemente, não nos cabe a intromissão, aliás de nenhum espírito desencarnado.

– Nós não estamos no Universo para interferir no livre-arbítrio, Osmar – disse Virgílio entrando na conversa.

– Compreendo.

– Ressalto aqui a importância de falarmos um pouco mais sobre a obsessão de encarnado para encarnado – disse Maísa.

– Sim, podemos falar mais sobre isso – disse Ricardo.

– Está bem, vou explicar alguns tipos – disse Cimara.

– A obsessão de encarnado para encarnado existe em grande número no plano terreno.

– Como se caracterizam elas, Cimara? – perguntei.

– Esse tipo de obsessão se caracteriza pela capacidade que alguns espíritos têm de dominar mentalmente aqueles que elegem como suas vítimas.

OBSESSOR

Esse domínio é mascarado com alguns nomes tais como: ciúme, inveja, paixão, poder, orgulho, ódio, e é exercido às vezes, de maneira tão sutil que o obsidiado se sente extremamente amado, protegido, seguro, enfim, feliz.

– Que loucura, mas por que isso acontece?

– Essas obsessões ocorrem por conta de um amor que se torna tirano e possessivo. Tolhendo e sufocando a liberdade do outro de pensar, agir e seguir seu próprio destino.

– Você pode me dar algum exemplo?

– Sim, claro que sim.

– Exemplo: Namorado que limita a liberdade da namorada, noivo que proíbe a noiva de seguir seu caminho, marido que sufoca a esposa impondo regras no relacionamento, sufocando a liberdade do outro. Pessoas que escravizam os seus, impondo seus caprichos, tiranizando o companheiro e escravizando filhos, parceiros, amigos e familiares em geral.

– Infelizmente é o que mais vejo.

– Mas o Universo está caminhando a passos largos para uma melhora nos relacionamentos – disse Lucas.

– Eu conheço pessoas que por terem poder financeiro, escravizam todos ao seu redor, impondo através do poder financeiro seus desejos. Conheço muita gente que sofre na mão desses tiranos.

– Provavelmente será hospede aqui no Umbral quando deixar a vida física. Ou reencarnará muito pobre para, através da pobreza, conhecer a humildade, e através dessa experiência transformar-se intimamente.

– Colheita, Lucas?

– Sim, colheita – disse Maísa.

– Mas vamos em frente – disse Virgílio.

– Sim, vamos – diz Maísa.

– Você pode nos falar sobre a obsessão de desencarnado para desencarnado, se é que ela existe? É que eu li um artigo sobre esse tipo de obsessão. Eu poderia retratá-lo aqui para nossa reflexão, o que acham?

– Ótima ideia, Osmar, relate – disse Virgílio.

– Segundo os ensinamentos espíritas e em alguns livros psicografados temos as seguintes informações:

– São espíritos que obsidiam espíritos.

Desencarnados que dominam outros desencarnados são expressões de um mesmo drama que se desenrola tanto na Terra quanto no Plano Espiritual inferior.

Espíritos endividados e compromissados entre si mesmos, através de associações tenebrosas, de idêntico padrão vibratório, se aglomeram em certas regiões do Espaço, obedecendo à sintonia e à lei de atração, formando hordas que erram sem destino ou se fixam temporariamente em cidades no Umbral, núcleos de sombras e trevas.

Tais núcleos têm dirigentes, que se proclamam juízes, julgadores, chamando a si a tarefa de distribuir justiça aos espíritos igualmente culpados e devotados ao mal, ou endurecidos pela revolta e pela descrença.

– Bem-vindo ao Umbral, Osmar – disse Francisco.

– Então é isso que mais se vê aqui?

– Sim, é isso que mais tem aqui – disse Maísa.

– Voltando ao nosso tema, eu tenho ainda alguns tipos de obsessão para mostrar – disse Cimara.

– Desculpe-me Cimara.

– Vamos em frente – disse a jovem.

– Existe também a obsessão de encarnado para desencarnado, essa eu vou explicar como funciona.

– Meu Deus! – disse.

– As expressões de amor egoísta e possessivo, por parte do que ainda estão na carne, redundam em fixação mental daqueles que desencarnaram, retendo às reminiscências terrestres. Essas emissões mentais constantes, de dor, revolta, remorso e desequilíbrio terminam por imantar o recém-desencarnado aos que ficaram na Terra, não lhe permitindo alcançar o equilíbrio de que carece para enfrentar a nova situação.

Por estar inconformado com a morte e o desespero, advindos da perda de um ente querido, podem transformar-se em obsessão que irá afligi-lo e atormentá-lo. Idêntico processo se verifica quando o sentimento que domina o encarnado é o do ódio, da revolta, etc.

As brigas e os desentendimentos nas disputas de herança entre herdeiros, fatores geradores de mágoas, podem atrair o espírito desencarnado, diretamente relacionado com o problema, afligindo-o de tal forma que não consegue se desligar dos familiares.

A inconformação pelo retorno ao Plano espiritual de um ente querido, a saudade inconsolável ou a tristeza profunda após os funerais são outros fatores de fixação, capazes de manter prisioneiro o desencarnado.

– Esse seu ensinamento é muito oportuno, Cimara, muitas pessoas vivem isso diariamente e nem se dão conta de como resolver essas questões com amor e paz, é importante para o desencarnado.

– Esse é o intuito dessa obra, Osmar, passar o máximo de informações a respeito do tema, para dar conhecimento e sabedoria a seus leitores – disse Lucas.

– Eu sou grato. Aliás, nós somos gratos.

– Um outro tipo que acho bem proveitoso e a obsessão de desencarnado para encarnado – disse Ricardo.

– Sim, eu acho muito importante, Cimara.

– Então vamos lá: a obsessão de desencarnado para encarnado é muito comum. Sendo a mais conhecida, caracteriza-se pelo domínio de um desencarnado sobre alguém que vive no plano físico. As causas são várias. Vamos citar algumas delas, pode ser?

– Sim, claro!

– Anote aí. – Amores exacerbados, ódios incoercíveis, dominação absolutista, fanatismo injustificável, avareza incontrolável, morbidez ciumenta, abusos do direito como da força, má distribuição de valores e recursos financeiros, aquisição indigna da posse transitória, paixões políticas e guerreiras, ganância em relação aos bens perecíveis, orgulho e presunção, egoísmo nas suas múltiplas facetas são as fontes geradoras desse funesto condutor de homens, que não cessa de atirá-los nos resvaladouros da loucura, das enfermidades portadoras de síndromes desconhecidas e perturbantes do suicídio direto ou indireto.

– Osmar, quando alguém morre, esse alguém não perde sua liberdade, e sendo livre, ele pode muita coisa fazer.

– Vocês já me explicaram isso, eu compreendo que o espírito é livre em todo lugar, Lucas.

– Mas como também já te dissemos há um controle sobre tudo o que Ele criou e cria.

– Eu acredito nisso.

– Logo te mostraremos como tudo isso é gerenciado.

– Obrigado, Lucas.

Cimara retoma a palavra.

– Osmar, existem ainda alguns tipos já qualificados de obsessão, que ainda tenho que te explicar. Eu vou lhe apresentar mais duas muito comuns, ok?

– Está bem, Cimara.

– É muito comum também a obsessão recíproca, Osmar.

– Como ela acontece, Cimara?

– Assim... como as almas afins voltadas para o bem cultivam a convivência amiga e fraterna... sob outro aspecto, as criaturas se procuram para locupletar-se das vibrações que permutam e nas quais se comprazem... Essa característica de reciprocidade transforma-se em verdadeira simbiose, quando dois seres passam a viver em regime de comunhão de pensamentos e vibrações.

Isto ocorre até mesmo entre os encarnados que se unem através do amor desequilibrado, mantendo um relacionamento enervante.

São as paixões avassaladoras que tornam os seres totalmente cegos a quaisquer outros acontecimentos e interesses, fechando-se ambos num egoísmo a dois, altamente perturbador.

Esses relacionamentos geralmente terminam em tragédias, se um dos parceiros modificar o seu comportamento em relação ao outro.

E para finalizar minha apresentação eu gostaria de falar sobre a auto-obsessão.

– Vamos em frente – disse.

– A auto-obsessão amiúde... se atribui aos espíritos, das maldades de que eles são inocentes.

Alguns estados doentios e certas aberrações que se lançam à conta de uma causa oculta, derivam do espírito do próprio indivíduo... O homem não raramente é obsessor de si mesmo.

É incalculável o número de pessoas que comparecem aos consultórios, queixando-se dos mais diversos males para os quais não existem medicamentos eficazes e que são tipicamente portadores de auto obsessão.

São cultivadores de "moléstias fantasmas".

Vivem voltadas para si mesmos, preocupando-se em excesso com a própria saúde, descobrindo sintomas, dramatizando as ocorrências do dia a dia, sofrendo por antecipação situações que jamais chegarão a se realizar, flagelando-se com o ciúme, a inveja, o egoísmo, o orgulho, o despotismo e transformando-se em doentes imaginários, vítimas de si próprios, atormentados por si mesmos.

Todos ficam em silêncio naquele momento até que eu resolvi quebrá-lo.

– Existem mais tipos, Cimara?

– Sim, mas não é o momento certo de lhe explicar, vocês ainda não compreenderiam.

– Certo, eu agradeço.

– Mas se você quiser podemos falar sobre os graus da obsessão. O que acha? – diz a jovem.

– Existem graus de obsessão?

– Sim, eu vou lhe explicar.

– Está bem!

– A obsessão, Osmar, apresenta caracteres diversos, que é preciso distinguir e que resulta do grau do constrangimento e da natureza dos efeitos que produz.

A palavra obsessão é, de certo modo, um termo genérico, pelo qual se designa esta espécie de fenômeno, cujas principais variedades são: a obsessão simples, a fascinação e a subjugação, como lhe expliquei acima.

– Sim.

– Vamos falar sobre a obsessão simples.

– Sim.

– A Obsessão simples acontece quando um espírito malfazejo se impõe a um médium, se imiscui a seu mal grado, nas comunicações que ele recebe, o impede de se comunicar com outros espíritos e se apresenta em lugar dos que são evocados.

Ninguém está obsidiado pelo simples fato de ser enganado por um espírito mentiroso.

OBSESSOR

O melhor médium se acha exposto a isso, sobretudo no começo, quando ainda lhe falta experiência necessária, do mesmo modo que os encarnados, os mais honestos podem ser enganados por velhacos. Pode-se, pois, ser enganado, sem estar obsidiado.

A obsessão consiste na tenacidade de um espírito, do qual não consegue desembaraçar-se a pessoa sobre quem ele atua.

Podem incluir-se nesta categoria os casos de obsessão física, isto é, a que consiste nas manifestações ruidosas e obstinadas de alguns espíritos, que fazem se ouçam, espontaneamente, pancadas ou outros ruídos.

A obsessão simples é parasitose comum em quase todas as criaturas, em se considerando o natural intercurso psíquico vigente em todas as partes do Universo. Tendo-se em vista a infinita variedade das posições vibratórias em que se demoram os encarnados, estes sofrem quando influem em tais faixas, sintonizando, por processo normal, com os outros comensais aí situados.

No momento do sono, encarnados sob o jugo de obsessão simples encontram-se com os seus afins, encarnados ou não, com os quais se identificam, recebendo mais ampla carga de necessidades falsas.

Quando despertam, trazem a mente atribulada, tarda, sob incômodo cansaço físico e psíquico, encontrando dificuldade para fixar os compromissos e lições edificantes da vida.

Na obsessão simples, pode-se instalar ideia fixa, que conduz ao intercâmbio mental com outros espíritos afins.

Surgem, como efeito natural, as síndromes da inquietação: as desconfianças, os estados de insegurança pessoal, as enfermidades de pequena monta, os insucessos em torno do obsidiado que soma as angústias, dando campo a incertezas, a mais ampla perturbação interior.

– Meu Deus.

– Outro tipo muito comum Osmar, é a fascinação, que vou explicar agora.

– Por favor...

A fascinação tem consequências muito mais graves, Osmar. É uma ilusão produzida pela ação direta do espírito sobre o pensamento do médium e que, de certa forma, lhe paralisa o raciocínio.

O médium fascinado não acredita que o estejam enganando. O espírito tem a arte de lhe inspirar confiança cega, que o impede de ver o embuste, ainda quando esse absurdo salte aos olhos de toda gente.

Fora erro acreditar que a esse gênero de obsessão só estão sujeitas as pessoas simples, ignorantes e baldas de senso. Dela não se acham isentos nem os homens de mais espírito, os mais instruídos.

Compreende-se facilmente toda a diferença que existe entre a obsessão simples e a fascinação.

OBSESSOR

Na primeira, o espírito que se agarra à pessoa não passa de um importuno pela sua tenacidade e de quem aquela se impacienta por desembaraçar-se.

Na segunda, a coisa é muito diversa.

Para chegar a tais fins, preciso é que o espírito seja destro, ardiloso e profundamente hipócrita, porquanto não pode operar a mudança e fazer-se acolhido, senão por meio da máscara que toma e de um falso aspecto de virtude.

Por isso mesmo, o que o fascinador mais teme são as pessoas que veem claro. Daí consistir a sua tática, quase sempre, em inspirar ao seu intérprete o afastamento de quem quer que lhe possa abrir os olhos.

À medida que o campo mental da vítima cede área, esta assimila não apenas a indução telepática, mas também as atitudes e formas de ser do seu hóspede.

– Meu Deus!

– Posso lhe falar agora sobre subjugação?

– Sim, claro.

– A subjugação Osmar, é uma constrição que paralisa a vontade daquele que a sofre e o faz agir a seu mau grado. Numa palavra, o paciente fica sob um verdadeiro jugo. No painel das obsessões, à medida que se agrava o quadro da interferência, a vontade do hospedeiro perde os contatos de comando pessoal, na razão direta em que o invasor assume a governança.

A subjugação pode ser física, psíquica e, simultaneamente, físio-psíquica.

— Estou impressionado com tantas informações, confesso ter estudado bastante sobre obsessão, mas sou grato por tantas informações preciosíssimas.

— Não agradeça, escreva — disse Lucas.

— Estou escrevendo e aprendendo, gratidão Cimara.

— Podemos prosseguir?

— Sim, claro.

— A primeira Osmar, não implica na perda da lucidez intelectual, porquanto a ação dá-se diretamente sobre os centros motores, obrigando o indivíduo, não obstante se negue à obediência, a ceder à violência que o oprime.

Neste caso, podem irromper as enfermidades orgânicas, por se criarem condições celulares próprias para a contaminação por vírus e bactérias ou perturbar-se o anabolismo como o catabolismo.

No segundo caso, o paciente vai sendo dominado mentalmente, tombando em estado de passividade, não raro sob tortura emocional, chegando a perder por completo a lucidez.

OBSESSOR

Perde temporária ou definitivamente durante a sua atual encarnação a área da consciência, não podendo livremente expressar-se.

Por fim, assenhoreia-se, simultaneamente, dos centros do comando motor e domina fisicamente a vítima, que lhe fica inerte, subjugada, cometendo atrocidades em seu nome.

A subjugação é também chamada de possessão, uma vez que há domínio mais severo do obsessor sobre o obsidiado.

Se na obsessão o desencarnado age externamente, com o auxílio do seu perispírito, na possessão ele substitui, por assim dizer, ao espírito encarnado; toma-lhe o corpo para domicílio, sem que este, no entanto, seja abandonado pelo seu dono.

Agindo assim, o espírito desencarnado constrange o encarnado a ver, a falar e a agir, ao mesmo tempo que o sobrecarrega de problemas físicos e morais. Simula uma espécie de posse, daí, a expressão possessão.

Ouvindo a mensagem em caráter telepático, transmitida pela mente livre [desencarnado], começa por aceder ao apelo que lhe chega, transformando-se, por fim, em diálogos nos quais se deixa vencer pela pertinácia do tenaz vingador.

Justapondo-se sutilmente cérebro a cérebro, mente a mente, vontade dominante sobre vontade que se deixa dominar, órgão a órgão, através do perispírito pelo qual se identifica com o encarnado, a cada cessão feita pelo hospedeiro, mais coercitiva se faz a presença do hóspede, que se transforma em parasita insidioso, a simbiose esdrúxula, em que o poder da fixação da vontade dominadora consegue extinguir a lucidez do dominado, que se deixa apagar.

– Confesso estou atordoado com tantas informações.

– Você quer parar, Osmar?

– Não, vamos continuar...

– Eu vou lhe falar agora sobre loucura e obsessão, pode ser?

– Sim.

– Então vamos em frente.

– A loucura e obsessão – diz a doce Cimara.

– Todas as grandes preocupações do espírito, Osmar, podem ocasionar a loucura. A loucura provém de um certo estado patológico do cérebro, instrumento do pensamento.

Estando o instrumento desorganizado, o pensamento fica alterado.

A loucura é, pois, um efeito consecutivo, cuja causa primária é uma predisposição orgânica, que torna o cérebro mais ou menos acessível a certas impressões.

Esse fato é tão real que é muito comum que vocês, encarnados, encontrem pessoas que desenvolvem grande atividade mental e nem por isso apresentam sintomas de loucura. Outras, porém, ao influxo da menor excitação nervosa, apresentam sinais de perturbação mental.

OBSESSOR

Existindo uma predisposição para a loucura, toma esta o caráter de preocupação principal, que então se torna ideia fixa; esta poderá ser a dos espíritos, num indivíduo que deles se tenha ocupado, como poderá ser da fortuna, do poder, de uma ciência, da maternidade, de um sistema político ou social.

É provável que o louco religioso se tivesse tornado um louco espírita, se o Espiritismo fosse a sua preocupação dominante.

É muito diáfana a linha divisória entre a sanidade e o desequilíbrio mental.

Transita-se de um para outro lado com relativa facilidade, sem que haja, inicialmente, uma mudança expressiva no comportamento da criatura.

Ligeira excitação, alguma ocorrência depressiva, uma ansiedade, ou um momento de mágoa, a escassez de recursos financeiros, o impedimento social, a ausência de um trabalho digno, entre muitos outros fatores, podem levar o encarnado a transferir-se para a outra faixa de saúde mental, alienando-se, temporariamente, e logo podendo retornar à posição regular, a de sanidade.

No aprofundado estudo da etiopatogenia da loucura, não se pode mais descartar as incidências da obsessão, ou o predomínio exercido pelos espíritos desencarnados sobre os homens.

Tendo-se em vista o estágio atual de crescimento moral da Terra e daqueles que a habitam, o intercâmbio entre as mentes que se encontram na mesma faixa de interesse é muito maior do que um observador menos cuidadoso e menos preparado pode imaginar.

Atraindo-se pelos gostos e aspirações, vinculando-se mediante afetos doentios, sustentando laços de desequilíbrio decorrente do ódio, assinalados pelas paixões inferiores, exercem constrição mental, e, às vezes, física naqueles que lhes concedem as respostas equivalentes, resultando variadíssimas alienações de natureza obsessiva.

– E na mediunidade, o que você pode me dizer?

– Sobre mediunidade temos algumas informações que podemos lhe passar.

– Que honra.

– Vamos falar sobre a mediunidade e seus desequilíbrios mentais, pode ser?

– Sim.

– É importante informar que a prática mediúnica não produz loucura como supõem algumas pessoas que desconhecem os ensinamentos espíritas.

A mediunidade não produzirá a loucura, quando esta já não exista em gérmen; porém, existindo este, o bom-senso está a dizer que se deve usar de cautelas sob todos os pontos de vista, portanto qualquer abalo pode ser prejudicial.

O que vocês devem é analisar que a prática mediúnica pode oferecer perigos às pessoas imprudentes, que não têm preparo doutrinário e não possuem certo equilíbrio moral, necessários à neutralização das influências obsessivas.

– Temos falado muito sobre isso em minhas psicografias. Médiuns irresponsáveis.

– Realmente há de se ter muito cuidado com o exercício mediúnico.

É necessário investir no preparo doutrinário do trabalhador do grupo mediúnico, promovendo melhor seleção de participantes que deverão compor a equipe da reunião.

Esses perigos, entretanto, têm sido muito exagerados.

Em todas as coisas há precauções a adotar.

A Física, a Química e a Medicina exigem também prolongados estudos, e o ignorante que pretendesse manipular substâncias químicas, explosivos ou tóxicos, poria em risco a saúde e a própria vida.

Não há uma só coisa, conforme o uso que dela fizeres, que não seja boa ou má.

É sempre injusto salientar o lado mau das práticas espíritas, sem assinalar os benefícios que delas resultam e que sobrepujam consideravelmente os abusos e as decepções.

– Essa tem sido minha peregrinação, alertar os médiuns sobre a responsabilidade de se estabelecer as comunicações desconhecidas. Dedicação, leitura, equilíbrio e reforma íntima, sem isso eu acho que os médiuns em sua maioria, estão destinados ao fracasso.

Acho também que é por isso que muitos médiuns fracassam.

– O fracasso se dá quando a disciplina e deixada de lado, Osmar – disse Lucas.

– Concordo com você, Lucas.

– Bom, Osmar o que eu tinha a te dizer sobre tipos de obsessão está revelado. Espero que eu tenha sido útil a obra em que escreves.

– Eu é que te agradeço Cimara, por partilhar conosco tanta sabedoria.

Todos se levantam e Cimara se despede de cada um antes de chegar perto de mim.

– Obrigado, Cimara.

– Uma última coisa, Osmar.

– Sim, pode dizer.

– Em tudo que fizeres deposite uma poção de amor, pois é o amor que modifica tudo. Explique a seus leitores e amigos que é através do amor que tudo se transforma.

– Obrigado, Cimara. Pode deixar. Eu te agradeço imensamente por todos esses ensinamentos.

– Antes de ir embora quero ressaltar a importância da sintonia, tudo o que falei acima depende da sintonia e permissão como já lhe foi explicado.

– E o que podemos fazer para nunca sermos obsidiados Cimara?

– A oração é instrumento libertador de todos os males do espírito, Osmar. O hábito de orar afasta energias negativas e espíritos malfazejos do caminho do encarnado e também dos desencarnados, enfim orar é se libertar.

– Não tenho palavras para te agradecer por esse encontro, espero um dia estar ao seu lado para aprender ainda mais.

– Modifique-se, transforme-se e tudo serás capaz de conquistar.

– Gratidão, Cimara.

Ela sorriu, me abraçou e deixou o lugar.

Estávamos todos exauridos e felizes com tantos ensinamentos.

Virgílio após abraçar e se despedir de Cimara, senta-se novamente em sua confortável cadeira.

Todos repetem o gesto do nobre espírito e se sentam.

Eu pude perceber ali que aqueles obsessores eram na verdade espíritos amigos em comunhão com o auxílio ao próximo.

– Lucas, por favor, leve o Osmar. Volte outro dia para finalizarmos nossa mensagem.

– Sim, Virgílio – disse Lucas se levantando e me puxando pelo braço.

– Vamos, Osmar.

– Obrigado a todos – disse me levantando e saindo.

Lucas me levou até a minha casa, eu estava perplexo com tantos ensinamentos.

Os dias passaram...

Até que novamente ele me procurou, e voltamos ao Umbral.

> Antes de julgar, aprenda com os espíritos.

Osmar Barbosa

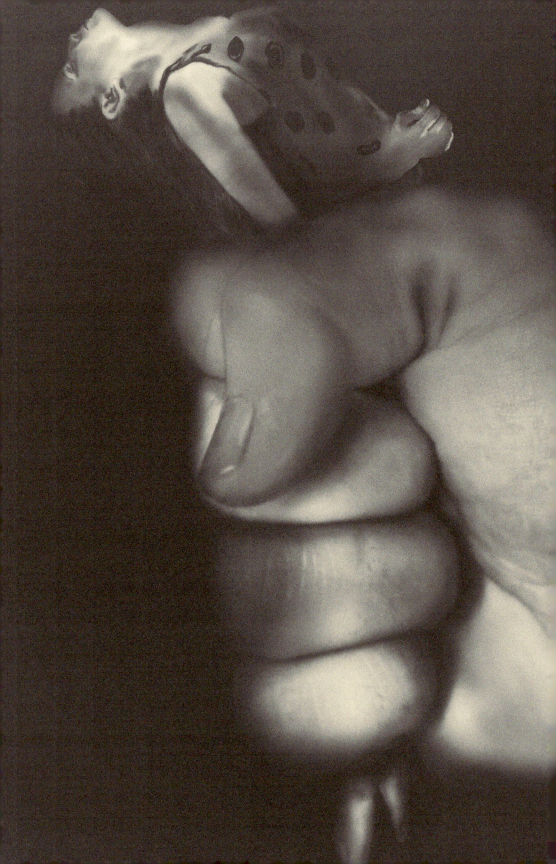

Ana

Mais uma vez fui acordado pelo Lucas pela madrugada.

Olhei para o relógio e vi que eram 3:43 da madrugada.

Ele chegou e me acordou, convidando a continuarmos a escrever essa obra.

Me levantei, fiz a minha primeira higiene pessoal e me dirigi ao lugar onde escrevo os livros.

– Bom dia, Lucas!

– Bom dia, Osmar.

– Desculpe-me te perguntar, mas por que vocês sempre me acordam pela madrugada para escrever?

– Esse é o melhor horário para as comunicações entre mundos.

– Melhor horário, como assim?

– A psicosfera da Terra está menos densa. A maioria dos espíritos estão em desdobramento, fora do corpo físico, isso facilita as comunicações.

– É, a Nina já tinha me falado sobre isso, desculpe-me te perguntar isso novamente.

– Sem problemas, vamos escrever?

– Sim.

– Prepare-se vamos desdobrar.

Fiz minha prece e segui Lucas até a casa da Ana.

E lá estava novamente sentado na mesma cadeira o Ricardo.

– Olá, Ricardo – disse Lucas.

– Olá. Como vocês estão?

– Estamos bem! – disse Lucas.

– E você Osmar, como está?

– Ainda acordando, Ricardo.

– O corpo é o peso do espírito. Quando você se libertar dele verá como é bom viver sem esse peso.

– Espero que sim.

– Tenha certeza disso, Osmar – disse Lucas.

Olhei para a cama e me assustei com o estado da Ana.

Magra, com pouco cabelo na cabeça e ligada a um aparelho que lhe controlava.

– O que houve com a Ana, Ricardo?

– Ela está com câncer.

– Câncer?

– Sim, muito em breve irá desencarnar.

– Meu Deus, mas tão jovem.

Percebi que ao lado da cama de Ana dormia uma enfermeira sentada em uma poltrona branca.

– E essa quem é?

– Sua enfermeira – disse Ricardo.

– Com quantos anos a Ana está agora?

– Vinte anos.

– Meu Pai, tenha piedade dessa menina.

– Osmar, você se lembra do que a Ana fez no orfanato?

– Sim, me lembro perfeitamente.

– Pois bem, agora ela escolheu viver assim. Seu desencarne é parte do projeto reencarnatório.

– Ela escolheu ter câncer?

– Não, ela não escolheu essa doença. Ela escolheu viver em sofrimento até o seu desencarne. A doença foi resultado de suas escolhas.

– Por isso você a obsidia?

– Na verdade o meu trabalho como obsessor é cuidar para que tudo se cumpra.

– Como assim?

Nossa conversa é interrompida quando Ana começa a passar muito mal. O aparelho que está ligado a ela começa a apitar um som alto.

Rapidamente a enfermeira se levanta e começa a prestar os primeiros socorros à menina.

Sua mãe e seu pai adentram o quarto desesperados.

Uma grande agitação toma conta do lugar.

– Liga para o médico Fernando, liga correndo, ela está morrendo – diz apavorada a mãe de Ana.

Seu pai corre até seu quarto para pegar o aparelho telefônico e imediatamente liga para o médico que cuida de Ana.

A enfermeira não sabe mais o que fazer.

Ana não consegue respirar.

Ricardo se levanta e se posiciona na cabeceira da cama.

Ele estende as suas duas mãos sobre a cabeça de Ana que dá seus últimos suspiros de vida.

Lucas fica de pé ao meu lado.

Densa névoa invade o lugar.

Dois maqueiros chegam e colocam Ana sobre a maca e a levam para dentro da nevoa.

A morte está consumada.

Eu estava muito impressionado com tudo aquilo.

Na morte de Jasmine eu vi a Nina buscar aquele anjo, mas no desencarne de Ana não havia ninguém, somente dois maqueiros que calados chegaram e calados saíram levando a pobre alma.

Ricardo se aproxima de nós e nos convida a sair daquele lugar.

Eu me sentei na poltrona branca e fiquei por alguns segundos olhando a pobre mãe abraçada ao corpo morto de Ana.

Ricardo se aproximou de mim e disse:

– Sabe quem é essa mãe?

– Uma mãe que está sofrendo muito agora, tenho certeza.

– Ela é o espírito Maria que trabalhava com a Ana no orfanato.

– Nossa e ela resolveu passar por isso ao lado de Ana?

– Sim. Maria é um bom espírito, não participou de nenhum castigo àquelas crianças, pelo contrário, era ela quem cuidava de todas aquelas crianças dando a elas um pouco de amor.

Fazia isso escondido de todos.

Cuidou, amou e auxiliou todas elas a seguirem para seus novos lares.

– Enfim, uma boa alma – disse.

– Sim, e se voluntariou para auxiliar Ana a cumprir seus resgates.

– Que coisa boa.

– Agora precisamos ir, Virgílio nos aguarda.

– Sim, vamos.

Me levantei e seguimos para a caverna.

Chegando lá encontramos todos reunidos a nossa espera.

A caverna estava muito iluminada, como eu nunca tinha visto.

Estavam lá Virgílio, Francisco, Maísa e mais alguns obsessores que eu não conhecia.

Fomos saudados por Virgílio que nos aguardava.

– Olá Lucas e Osmar, sejam bem-vindos – disse Virgílio.

– Olá – disse, curioso com mais aquele encontro.

– Sentem-se rapazes – ordenou Virgílio.

Nos sentamos e esperamos pelas revelações que iriam acontecer.

Ricardo então se dirige a mim.

– Você se lembra da última pergunta que me fez, Osmar?

– Não, não lembro.

– Eu vou te refrescar a memória.

– Por favor.

– Estávamos falando sobre a encarnação de Ana, e você me perguntou qual era o meu papel como obsessor dela. Lembra?

– Sim eu perguntei: Por isso você a obsidia?

– E eu te respondi: Na verdade o meu trabalho como obsessor e cuidar para que tudo se cumpra.

– Sim, lembro.

– E você me perguntou: como assim?

– Sim, eu me lembro.

Virgílio interrompe nossa conversa e começa a me explicar.

– Osmar o nosso trabalho é acompanhar àqueles espíritos que necessitam depurar-se do mal que fizeram em algum momento da encarnação.

A obsessão que praticamos na verdade é um dos instrumentos divinos para que tudo se cumpra.

No caso da Ana, ela matou quatro crianças e precisava do perdão desses espíritos.

Um deles a perdoou logo que chegou à vida espiritual.

Os outros três a perseguiam em busca da vingança.

Foram duas encarnações perdidas. Encarnações essas onde seus verdadeiros obsessores obtiveram êxito em não deixá-la viver.

Na primeira, esses três espíritos conseguiram que Ana se suicidasse.

Na segunda morreu ainda menina em um manicômio. Como louca.

Por ordens superiores interferimos e através do nosso processo obsessivo Ana conseguiu se libertar desses algozes e cumpriu através do sofrimento na carne os resgates necessários ao seu equilibro, e assim agora ela está na Colônia das Flores na câmara de refazimento, em breve será acordada e tomará consciência de tudo o que passou para livrar-se definitivamente de todo o mal que fez.

– Quer dizer que a obsessão de vocês é para que o espírito encarnado consiga cumprir aquilo que se propôs para depurar-se do mal?

– Sim, nosso trabalho e acompanhar nosso protegido para que ele consiga através das provas sua redenção espiritual.

– Se nós não estivéssemos ao lado de Ana, certamente esses algozes conseguiriam êxito mais uma vez – disse Ricardo.

– Meu Deus, eu nunca poderia imaginar que isso fosse possível.

– Tudo é possível quando se trata de evolução espiritual, Osmar – disse Maísa.

– Quer dizer que vocês trabalham obsidiando os obsessores para que eles não consigam êxito em suas tarefas?

– Esse é o nosso trabalho. É para isso que estamos no Universo. Através da nossa obsessão o espírito encarnado consegue cumprir aquilo que se propôs para livrar-se definitivamente das mazelas das encarnações anteriores e assim chegam às colônias livres para recomeçarem a caminhada.

– Bem que eu notei que vocês eram diferentes.

– Não somos diferentes, somos mensageiros.

– Obsessores do bem, se assim posso dizer.

– O título fica a seu critério. O importante é que todos saibam que até nas coisas supostamente más, há o bem, e que só o bem vence.

– Agradeço muito por essa oportunidade Virgílio, agradeço imensamente por ser o instrumento elucidativo para tantas pessoas que precisam desses ensinamentos para se compreenderem na vida terrena.

Compreendi que se o Ricardo não estivesse ao lado de Ana, dificilmente ela conseguiria expurgar todo o mal que fez, compreendi também que foi o Ricardo através de seu processo obsessivo que levou a Ana ao estado em que estava, e assim ela conseguiu cumprir o que se propôs nessa vida.

– Que bom que você entendeu.

— E o Jouber? Que fim levou?

— Ele ainda está encarnado. Vai morrer na prisão. Está convertido, ora todos os dias pedindo perdão pelos seus erros, pois ele sabe em seu íntimo que não há acasos, que o fato de ter sido condenado injustamente tem um motivo divino. Algo em seu coração o conforta.

— Lembranças de outras vidas?

— Sim, temos lembranças eternas, essas jamais esqueceremos – disse Lucas.

— É como a lembrança que você carrega da vida, que teve ao lado de Maísa?

— Sim, jamais esqueceremos o que vivemos na França – disse Maísa olhando fixamente para Lucas.

— Osmar, é preciso que todos saibam que Deus é amor em perfeição, e sendo Ele a fonte viva do amor, nos oportuna de todas as formas. Tudo é possível quando o amor é o objetivo. Assim nós, os obsessores, estamos no Universo para que a vontade dos espíritos se cumpra.

Se um dia você precisar de ajuda para cumprir seus propósitos evolutivos, pode contar conosco.

— Espero não precisar, mas estou feliz em poder revelar essa linda história para os nossos leitores.

— Nós é que agradecemos por sua dedicação a compreensão e acima de tudo coragem para escrever sem medo.

– Obrigado, Virgílio, obrigado Lucas e a todos vocês por esse dia.

– Siga em frente, Osmar... escreva.

Voltei para minha vida simples, feliz com mais esse ensinamento.

Fim

Outros títulos lançados por Osmar Barbosa

Conheça outros livros psicografados por Osmar Barbosa. Procure nas melhores livrarias do ramo ou pelos sites de vendas na internet.
Acesse
www.bookespirita.com.br

 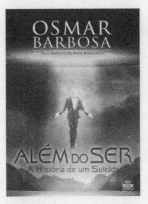 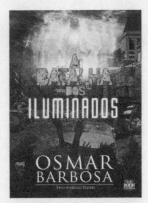
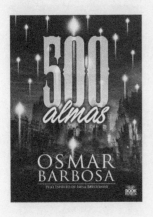  
  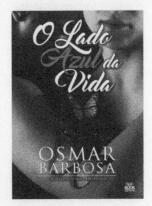

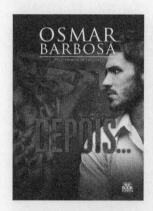  
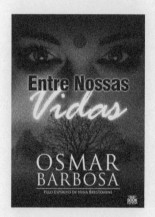 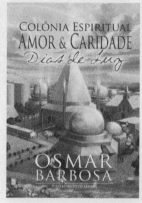 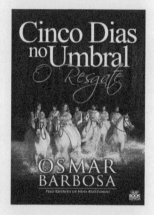
  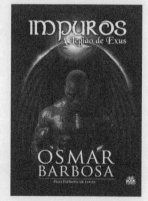

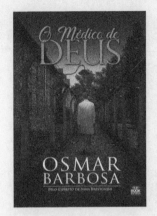

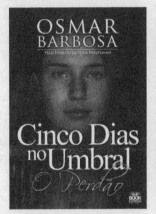

> A missão do médium é o livro.
> O livro é chuva que fertiliza lavouras imensas,
> alcançando milhões de almas.

Emmanuel

Esta obra foi composta na fonte Century751 No2 BT, corpo 13.
Rio de Janeiro, Brasil.